THE NE

BIG

ACOUSTIC GUITAR SONGBOOK

HAL LEONARD EUROPE

EXCLUSIVELY DISTRIBUTED BY
Music Sales Limited

Published by Hal Leonard.
Exclusively sold and distributed by
Hal Leonard Europe.
Hal Leonard Europe is a joint venture between
Hal Leonard Corporation and Music Sales Limited.
Music Sales Distribution Centre, Newmarket Road,
Bury St Edmunds, Suffolk IP33 3YB, UK.

Order No. HLE90004728
ISBN: 978-1-78038-866-3
This book © Copyright 2013 Hal Leonard Europe.

Edited by Adrian Hopkins.
Music arranged by Matt Cowe.
Music processed by Paul Ewers Music Design.

3 A.M.

Words & Music by Rob Thomas, Brian Yale, John Leslie Goff & John Joseph Stanley

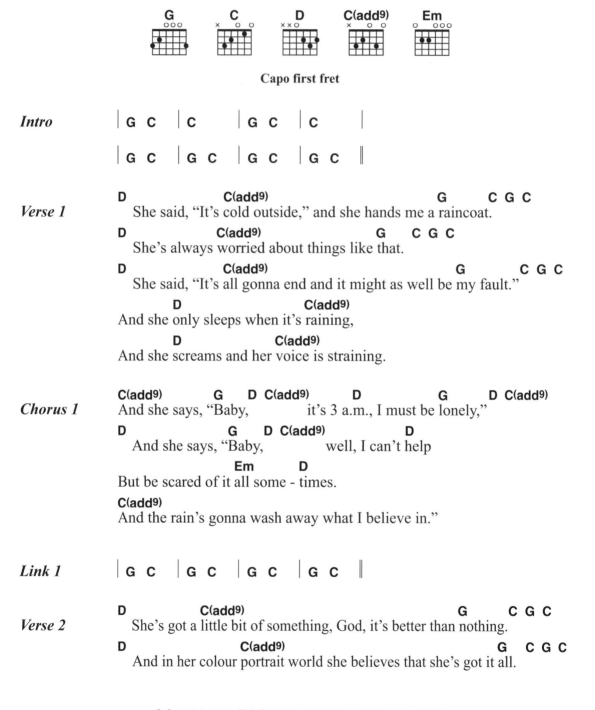

Capo first fret

Intro
```
| G  C | C    | G  C | C      |
| G  C | G  C | G  C | G  C  ‖
```

Verse 1

D   C(add9)   G C G C
She said, "It's cold outside," and she hands me a raincoat.

D   C(add9)   G C G C
She's always worried about things like that.

D   C(add9)   G   C G C
She said, "It's all gonna end and it might as well be my fault."

     D   C(add9)
And she only sleeps when it's raining,

     D   C(add9)
And she screams and her voice is straining.

Chorus 1

C(add9)   G D C(add9)   D   G   D C(add9)
And she says, "Baby,   it's 3 a.m., I must be lonely,"

D   G D C(add9)   D
And she says, "Baby,   well, I can't help

         Em   D
But be scared of it all some - times.

C(add9)
And the rain's gonna wash away what I believe in."

Link 1
```
| G  C | G  C | G  C | G  C  ‖
```

Verse 2

D   C(add9)   G   C G C
She's got a little bit of something, God, it's better than nothing.

D   C(add9)   G C G C
And in her colour portrait world she believes that she's got it all.

cont.

D
And she swears that the

C(add9)   G   C G C
Moon don't hang quite as high as it used to.

            D   C(add9)
And she only sleeps when it's raining,

            D   C(add9)
And she screams and her voice is straining.

Chorus 2

C(add9)   G   D C(add9)   D   G   D C(add9)
And she says, "Baby,   it's 3 a.m., I must be lonely,"

            D   G   D   C(add9)   D
Well, Heaven she says, "Baby, ah yeah,   yeah,___ well, I can't help

                      Em   D
But be scared of it all some - times.

C(add9)
And the rain's gonna wash away what I believe, yes."

Link 2

| C(add9) | C(add9) | C(add9) | C(add9) |

| G C | G C | G C | G C ‖

Verse 3

D   C(add9)   G   C G C
  She believes that life isn't made up of all that she used to.

D   C(add9)   G   C   G C
  And the clock on the wall has been stuck at three for days and days.

D   C(add9)   G   C G C
  She thinks that happiness is a mat that sits on her doorway,

        D   C(add9)
But outside it's stopped raining.

Chorus 3

C(add9)   G   D C(add9)   D   G   D C(add9)
And she says, "Baby,   it's 3 a.m., I must be lonely."

            D   G   D   C(add9)   D
Well, Heaven she says, "Baby, ah yeah,   yeah,___ well, I can't help

                      Em   D
But be scared of it all some - times.

C(add9)   G   D C(add9)
And the rain's gonna wash away what I be - lieve in.

                  D   G   D C(add9)
Well, it's 3 a.m., I must be lonely."

        D   G   D C(add9)   D
And Heaven she says, "Baby,   well, I can't help

                      Em D   C(add9)
But be scared of it all   some - times."

5

The A Team

Words & Music by Ed Sheeran

G   D/F♯   Em   C   Am7   D

Capo second fret

Intro | G | G | G | G D/F♯ |

    | Em | Em C | G | G ||

Verse 1

    G   D/F♯   Em
    White lips, pale face, breathing in snowflakes,
           C G
Burnt lungs, sour taste.

                              D/F♯   Em
Light's gone, day's end, struggling to pay rent,
           C G
Long nights, strange men.

Chorus 1

    Am7   C
And they say she's in the class A team,
                G   D
Stuck in her daydream, been this way since eighteen.
                Am7   C
But lately her face seems slowly sinking, wasting,
              G
Crumbling like pastries. And they scream
     D
The worst things in life come free to us.
              Em   C
'Cause we're just under the upper hand
G
    And go mad for a couple grams,
Em   C   G
    And she don't want to go outside   tonight.

cont.

      Em   C

And in a pipe she flies to the Motherland

G

    Or sells love to another man.

Em   C   G   D   Em C G

    It's too cold   outside   for angels to fly,

              Em C G

Angels to fly.

Verse 2

G   D   Em

Ripped gloves, raincoat, tried to swim and stay afloat,

          C   G

Dry house, wet clothes.

                                    D   Em

Loose change, bank notes, weary-eyed, dry throat,

         C   G

Call girl, no phone.

Chorus 2

Am⁷   C

And they say she's in the class A team,

           G   D

Stuck in her daydream, been this way since eighteen.

         Am⁷   C

But lately her face seems slowly sinking, wasting,

         G

Crumbling like pastries. And they scream

   D

The worst things in life come free to us.

          Em   C

'Cause we're just under the upper hand

G

    And go mad for a couple grams,

Em   C   G

    And she don't want to go outside   tonight.

          Em   C

And in a pipe she flies to the Motherland

G

    Or sells love to another man.

Em   C   G   Am⁷

    It's too cold   outside   for angels to fly.

Bridge

Am7   C   Em
That angel will die covered in white,

      G
Closed eye and hoping for a better life.

Am7   C
This time, we'll fade out tonight,

       (Em)
Straight down the line.

Instrumental ‖: Em | C | G | G :‖

Chorus 3

Am7   C
And they say she's in the class A team,

    G   D
Stuck in her daydream, been this way since eighteen.

     Am7   C
But lately her face seems slowly sinking, wasting,

     G
Crumbling like pastries. And they scream

   D
The worst things in life come free to us.

     Em   C
And we're all under the upper hand

G
  And go mad for a couple grams,

Em   C   G
  And we don't want to go outside tonight.

     Em   C
And in the pipe fly to the Motherland

G
  Or sell love to another man.

Em   C   G D   Em C G
  It's too cold outside for angels to fly,

     Em C G
Angels to fly,____

    Em C G
To fly,____ fly,____

      Em C   G
For angels to fly, to fly, to fly,

D   G
Angels to die.

Caught By The River

Words & Music by Jez Williams, Andy Williams & Jimi Goodwin

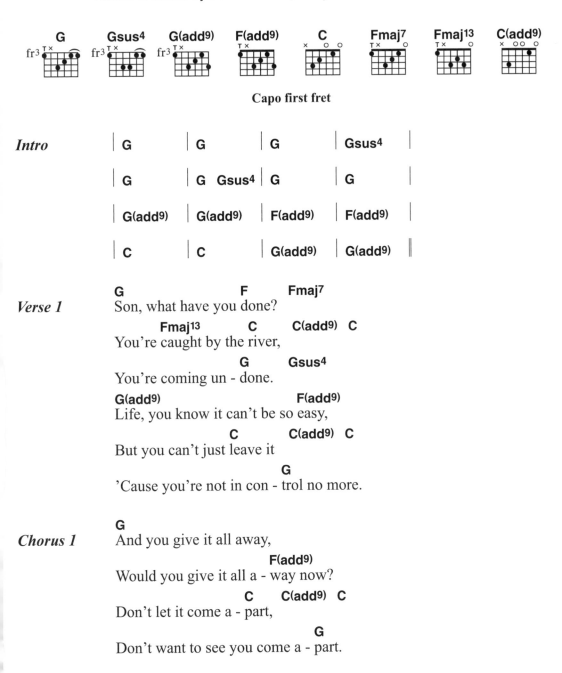

Capo first fret

Intro

G	G	G	Gsus4
G	G Gsus4 G	G
G(add9)	G(add9)	F(add9)	F(add9)
C	C	G(add9)	G(add9)

Verse 1

G   F   Fmaj7
Son, what have you done?

    Fmaj13   C   C(add9) C
You're caught by the river,

             G   Gsus4
You're coming un - done.

G(add9)   F(add9)
Life, you know it can't be so easy,

           C   C(add9) C
But you can't just leave it

             G
'Cause you're not in con - trol no more.

Chorus 1

G
And you give it all away,

           F(add9)
Would you give it all a - way now?

      C   C(add9) C
Don't let it come a - part,

          G
Don't want to see you come a - part.

Verse 2

G   F(add9)
Son, what are you doing?

                        C   C(add9) C
You learned a hard lesson,

                      G
When you stood by the water.

                       F
You and I were so full of love and hope.

                C
Would you give it all up now,

                G
Would you give in just to spite them all?

Chorus 2

G
And you give it all away,

                  F(add9)
Would you give it all a - way now?

                C   C(add9) C
Don't let it come a - part,

                    G
Don't want to see you come a - part.

Could you give it all away,

                  F(add9)
And you give it all a - way now.

                C   C(add9) C
Don't let it come a - part,

                    G
Don't want to see you come a - part.

Instrumental 1 ‖: Gsus4 | Gsus4 G | F(add9) | F(add9) |

      | C | C | G | G :‖

Verse 3

G   F   Fmaj7
Lay, I lay in the long grass,

            C   C(add9) C
So many people,

           G
So many people pass.

                F
I stay, stay here and lie on back,

            C   C(add9) C
Get down in the cornfields,

           G
Stay till we're caught at last.

Chorus 3

G
Give it all away,

        F
Give it all a - way now.

         C
Don't let it come a - part,

              G
Don't want to see you come a - part.

And you give it all away,

            F(add9)
And you give it all a - way now.

         C
Don't let it come a - part,

              G
Don't want to see you come a - part.

Instrumental 2 ‖: Gsus4 | Gsus4 G | F(add9) | F(add9) |

                | C | C | G | G   :‖ *Play 5 times*

Outro

G
And you give it all away.

And you give it all away.

And you give it all away.

And you give it all away.

And you give it all away.

And you give it all away.

And you give it all away.

And you give it all away.

Beetlebum

Words & Music by Damon Albarn, Graham Coxon, Alex James & David Rowntree

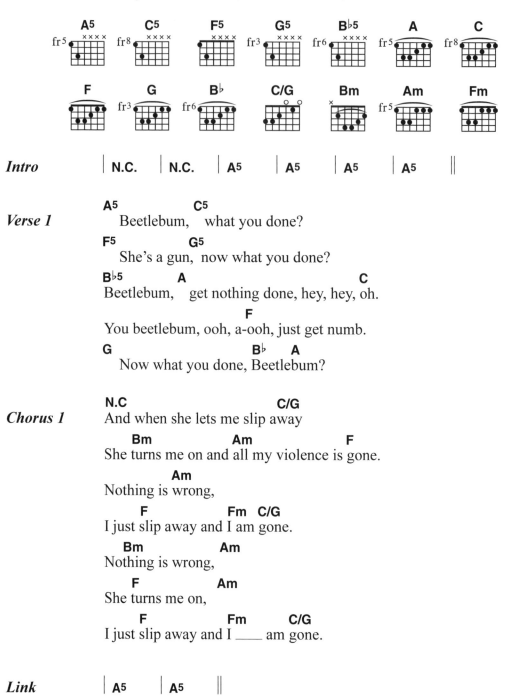

Intro | N.C. | N.C. | A5 | A5 | A5 | A5 ‖

Verse 1
    A5   C5
    Beetlebum,   what you done?
    F5   G5
    She's a gun, now what you done?
B♭5   A   C
Beetlebum,   get nothing done, hey, hey, oh.
                   F
You beetlebum, ooh, a-ooh, just get numb.
G   B♭   A
    Now what you done, Beetlebum?

Chorus 1
    N.C   C/G
And when she lets me slip away
    Bm   Am   F
She turns me on and all my violence is gone.
          Am
Nothing is wrong,
       F   Fm C/G
I just slip away and I am gone.
    Bm   Am
Nothing is wrong,
    F   Am
She turns me on,
    F   Fm   C/G
I just slip away and I ___ am gone.

Link | A5 | A5 ‖

Verse 2

A⁵   C⁵
Beetlebum,   because you're young.

F⁵   G⁵
She's a gun,   now what you done?

B♭⁵   A   C
Beetlebum,   she'll suck your thumb, hey, hey,

                                F
She'll make you come, ooh, a-ooh, 'cause she's your gun.

G   B♭   A
Now what you done, Beetlebum?

Chorus 2

N.C   C/G
And when she lets me slip away

   Bm   Am   F
She turns me on and all my violence is gone.

        Am
Nothing is wrong,

   F   Fm C/G
I just slip away and I am gone.

  Bm   Am
Nothing is wrong,

   F   Am
She turns me on,

   F   Fm
I just slip away and I ___ am.

Outro

𝄆 A
   He's on, he's on, he's on it,

C
   He's on, he's on, he's on it,

F
   He's on, he's on, he's on it,

G   B♭
   He's on, he's on, he's on it. 𝄇

𝄆 A | A | C | C |

| F | F | G | G B♭ 𝄇 *Play 3 times*

| A   ‖

Better Be Home Soon

Words & Music by Neil Finn

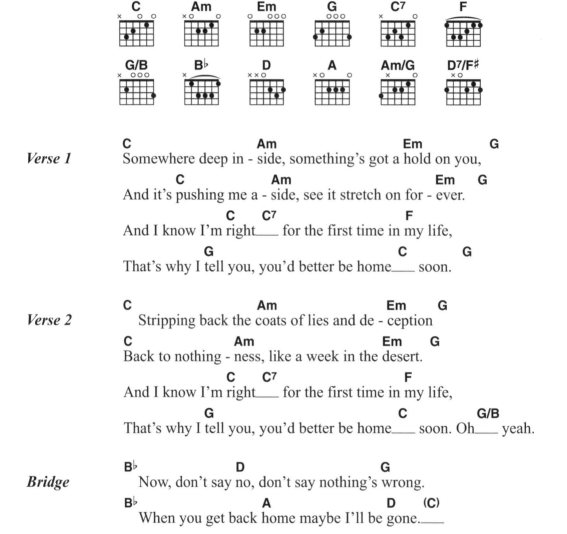

Verse 1

  C   Am   Em   G
Somewhere deep in - side, something's got a hold on you,

    C   Am   Em G
And it's pushing me a - side, see it stretch on for - ever.

       C C7   F
And I know I'm right___ for the first time in my life,

       G   C   G
That's why I tell you, you'd better be home___ soon.

Verse 2

  C   Am   Em   G
 Stripping back the coats of lies and de - ception

 C   Am   Em   G
Back to nothing - ness, like a week in the desert.

       C C7   F
And I know I'm right___ for the first time in my life,

       G   C   G/B
That's why I tell you, you'd better be home___ soon. Oh___ yeah.

Bridge

 B♭   D   G
 Now, don't say no, don't say nothing's wrong.

 B♭   A   D (C)
 When you get back home maybe I'll be gone.___

Instrumental

| C | Am | Em | G | |
| C | Am | Em G | F | |
| F | B♭ | B♭ | ‖

Verse 3

```
      C                    Am           Em      G
    It would cause me pain if we were to end it,
       C            Am            Em         G
  But I could start a - gain, you can de - pend on it.
                  C     C7                 F
  And I know I'm right___ for the first time in my life,
         G                              Am       Am7/G
  That's why I tell you, you'd better be home___ soon.___
  D7/F♯          F      G                      C
  Oh, that's why I tell you,   you'd better be home soon.
```

Billionaire

Words & Music by Ari Levine, Khari Cain, Khalil Walton & Phillip Lawrence

A   C#7   F#m   E   D   E/G#   Bm

Verse 1

      A   C#7
I wanna be a billionaire so fricking bad,

F#m   E
Buy all of the things I never had.

A   C#7
I wanna be on the cover of Forbes magazine,

F#m   E
Smiling next to Oprah and the Queen.

Rap 1

N.C.   A
Yeah, I would have a show like Oprah I would be the host of

C#7
Everyday Christmas, give Travie your wish list.

F#m
I'd probably pull an Angelina and Brad Pitt

     E
And a - dopt a bunch of babies that ain't never had shit.

       A
Give a - way a few Mercedes, like here, lady have this

       C#7
And last but not least grant somebody their last wish.

       F#m
It's been a couple months that I've been single so

E
You can call me Travie Claus minus the Ho Ho.

A
   Get it, I'd probably visit where Katrina hit

C#7
And damn sure do a lot more than FEMA did.

F#m
   Yeah, can't forget about me, stupid,

E
Everywhere I go I'm-a have my own theme music.

Chorus 1

      D   **E**   **F♯m**
Oh, every time I close my eyes,

     D   **E**   **F♯m**
I see my name in shining lights.

    D   **E**   **A**   **E/G♯ F♯m E D**
 A different city every night, oh,   I_____ swear

                   C♯7   **F♯m**
The world better pre - pare for when I'm a billio - naire.

          Bm   **F♯m**
Oh, oh, oh, oh, when I'm a billio - naire.

          Bm
Oh, oh, oh, oh.

Rap 2

    (Bm)   **A**
I'll be playing basket - ball with the President, dunking on his delegates,

C♯7
Then I'll compliment him on his political etiquette.

F♯m
Toss a couple milli in the air just for the heck of it,

    E
But keep the fives, twenties, hiz and biz completely separate.

A   **C♯7**
 And yeah I'll be in a whole new tax brac - ket,

                        F♯m
We in recession, but let me take a crack at it.

I'll probably take whatever's left and just split it up,

E
 So everybody that I love can have a couple bucks.

A
 And not a single tummy around me

    C♯7
Would know what hungry was, eating good, sleeping soundly,

F♯m
 I know we all have a similar dream.

        E
Go in your pocket, pull out your wallet, put it in the air and sing.

Verse 2   As Verse 1

Chorus 2   As Chorus 1

Outro

    A   **C♯7**
 I wanna be a billionaire so fricking bad.

Black Horse And The Cherry Tree

Words & Music by KT Tunstall

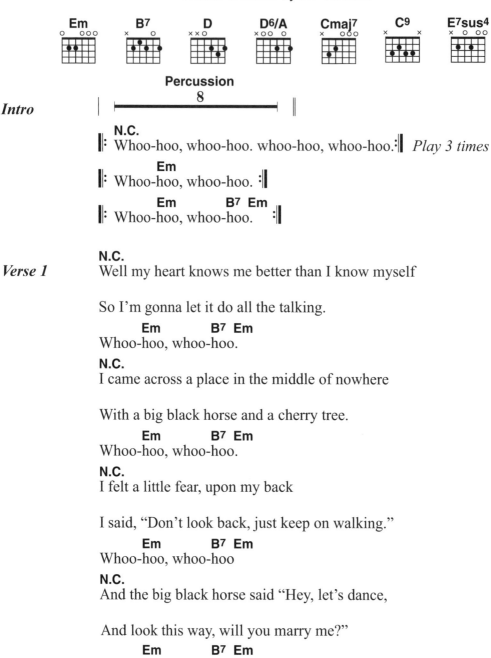

Em	B7	D	D6/A	Cmaj7	C9	E7sus4

Percussion

Intro
| 8 |

N.C.
𝄆 Whoo-hoo, whoo-hoo. whoo-hoo, whoo-hoo. 𝄇 *Play 3 times*

Em
𝄆 Whoo-hoo, whoo-hoo. 𝄇

Em   B7 Em
𝄆 Whoo-hoo, whoo-hoo.   𝄇

Verse 1

N.C.
Well my heart knows me better than I know myself

So I'm gonna let it do all the talking.
Em   B7 Em
Whoo-hoo, whoo-hoo.

N.C.
I came across a place in the middle of nowhere

With a big black horse and a cherry tree.
Em   B7 Em
Whoo-hoo, whoo-hoo.

N.C.
I felt a little fear, upon my back

I said, "Don't look back, just keep on walking."
Em   B7 Em
Whoo-hoo, whoo-hoo

N.C.
And the big black horse said "Hey, let's dance,

And look this way, will you marry me?"
Em   B7 Em
Whoo-hoo, whoo-hoo.

Chorus 1

        Em D
But I said, "No, no,

D6/A Cmaj7
No,__ no, no, no,"

      Em D
I said, "No, no,

C9   **Em**
You're not the one for me.

    D
No, no.

D6/A Cmaj7
No,__ no, no, no."

      Em D
I said, "No, no,

C9
You're not the one for me."

      Em   **B7 Em**
Whoo-hoo, whoo-hoo.

      Em   **B7 Em**
Whoo-hoo, whoo-hoo.

Verse 2

N.C.
My heart hit a problem, in the early hours

So it stopped it dead for a beat or two

      Em   **B7 Em**
Whoo-hoo, whoo-hoo.

N.C.
But I cut some cord, and I shouldn't have done it

And it won't forgive me after all these years.

      Em   **B7 Em**
Whoo-hoo, whoo-hoo.

N.C.
So I sent her to a place in the middle of nowhere

With a big black horse and a cherry tree

      Em   **B7 Em**
Whoo-hoo, whoo-hoo.

N.C.
Now it won't come back, 'cause it's oh so happy

And now I've got a hole for the world to see.

      Em   **B7 Em**
Whoo-hoo, whoo-hoo.

                Em D
But it said, "No, no,

D6/A   Cmaj7
No,— no, no, no."

              Em D
It said, "No, no,

C9   **Em**
You're not the one for me.

         D
No, no,

D6/A   Cmaj7
No,— no, no, no."

              Em D
It said, "No, no,

C9
You're not the one for me."

            Em   **B7 Em**
Whoo-hoo, whoo-hoo.

Bridge

    N.C.
‖: No, no, no, no

No, no, no, no

No, no, no, no

You're not the one for me. :‖

Interlude

Play 4 times

N.C.
‖: Doo-doo, doo, doo, doo-be, doo

Doo-doo, be-doo :‖ *Play 4 times*

Well, there was a

‖: Big black horse and a cherry tree.

I can't quite get there 'cause my heart's forsaken me. Yeah. :‖

Big black horse and a cherry tree.
E7sus4   Em
Big black horse and a cherry tree.

Em   D
No,   no

Cmaj7   Em
No, no, no, no

              D
No, no, no, no

        Cmaj7   Em
My heart's forsaken me.

Em   D   Cmaj7   Em
Big black horse and a cherry tree.

                  D   **C9**   **Em**
I can't quite get there 'cause my heart's forsaken me. Yeah.

Em   D   Cmaj7   Em
Big black horse and a cherry tree.

                  D   **C9   N.C**
I can't quite get there 'cause my heart's forsaken me.

The Circle Game

Words & Music by Joni Mitchell

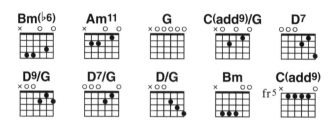

⑥ = D   ③ = G
⑤ = G   ②= B
④ = D   ① = D

Capo fourth fret

Intro

| Bm(♭6)   Am11 | Bm(♭6)   Am11 | Bm(♭6)   Am11 | G   C(add9)/G | G | ‖

Verse 1

G   C(add9)/G   G   C(add9)/G   G
Yesterday, a child came out to wonder,

                C(add9)/G   D7   D9/G   D7/G   D9/G   D/G
Caught a dragon - fly inside a jar._____

G   C(add9)/G   Bm
Fearful when the sky was full of thunder,

       C(add9)/G   G   Bm(♭6)   Am11 G   C(add9)/G   G
And tearful at the falling of   a_____ star._____

Chorus 1

G   Bm(♭6)   Am11 G
And the seasons they go 'round   and   'round,

               Bm(♭6)   Am11 G
And the painted ponies go up   and   down,

C(add9)/G   G   C(add9)/G   G
  We're captive on the carousel of   time._____

C(add9)/G   Bm   C(add9)
  We can't return, we can only look be - hind from where we came

        G   Bm(♭6)   Am11 G   C(add9)/G   G
And go 'round and 'round and 'round in the circle game._____

Verse 2

G   C(add9)/G   G   C(add9)/G   G
Then the child moved ten times 'round the   seasons,_____

              C(add9)/G   D7   D9/G   D7/G   D9/G   D/G
Skated over ten clear frozen streams._____

G   C(add9)/G   Bm
Words like, "When you're older," must ap - pease him

      C(add9)/G   G   Bm(♭6)   Am11   G   C(add9)/G   G
And promises of someday make   his   dreams._____

Chorus 2   As Chorus 1

Verse 3

G   C(add9)/G   G   C(add9)/G   G
Sixteen springs   and sixteen summers gone now,_____

             C(add9)/G   D7   D9/G   D7/G   D9/G
Cartwheels turn to car wheels through the town._____

D/G   G   C(add9)/G   Bm
And they tell him, "Take your time, it won't be   long now

      C(add9)/G   G   Bm(♭6)   Am11   G   C(add9)/G   G
Till you drag your feet to slow the circles_____ down."_____

Chorus 3   As Chorus 1

Verse 4

G   C(add9)/G   G
So the years spin by and now the boy is   twenty,

                  C(add9)/G   D7   D9/G   D7/G
Though his dreams have lost some grandeur coming true.

D9/G   D/G   G   C(add9)/G   Bm
        There'll be new dreams, maybe better dreams and plenty

      C(add9)   G   Bm(♭6)   Am11   G   C(add9)/G   G
Be - fore the last re - volving year   is   through._____

Chorus 4

G   Bm(♭6)   Am11   G
And the seasons they go 'round   and   'round,

                   Bm(♭6)   Am11   G
And the painted ponies go up   and   down,

C(add9)/G   G   C(add9)/G   G
     We're captive on the carousel of   time._____

C(add9)/G   Bm   C(add9)
     We can't return, we can only look be - hind from where we came

        G   Bm(♭6)   Am11   G   C(add9)/G   G
And go 'round and 'round and 'round in the circle   game._____

      Bm(♭6)   Am11
And go 'round and 'round and 'round in the circle

G   C(add9)/G   G   C(add9)/G   G
Game._____

23

Come Away With Me

Words & Music by Norah Jones

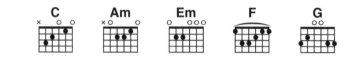

Intro
‖: C | Am | C | Am :‖

Verse 1
```
     C          Am              C        Am
   Come a - way with me in the night
     C          Am               Em    F    C    G
   Come a - way with me and I will write you a song.
     C          Am              C        Am
   Come a - way with me on a bus
     C          Am                  Em    F        C
   Come a - way where they can't tempt us with their lies.
```

Bridge 1
```
   G              F             C
   And I wanna walk with you    on a cloudy day,
   G                  F                        C
   In fields where the yellow grass grows knee high
                      G    C
So won't you try to come?
```

Verse 2

          Am   **C**
Come a - way with me and we'll kiss,

          Am
On a mountain top.

C   **Am**   **Em**
  Come a - way with me and I'll

       F   **C**   **G**
Never stop loving you.

Guitar solo

C	Am	C	Am	
C	Am	Em	F	C	G	
C	Am	C	Am	
C	Am	Em	F	C	C	

Bridge 2

  G   **F**
   And I wanna wake up,

       C
With the rain falling on a tent roof.

G   **F**   **C**
  While I'm safe there in your arms,

    G   **C**   **Am**   **C**   **Am**
All I ask is for you to come a - way with me in the night,

C   **G**   **C**
  Come a - way with me.

Come On Eileen

Words & Music by Kevin Rowland, James Paterson & Kevin Adams

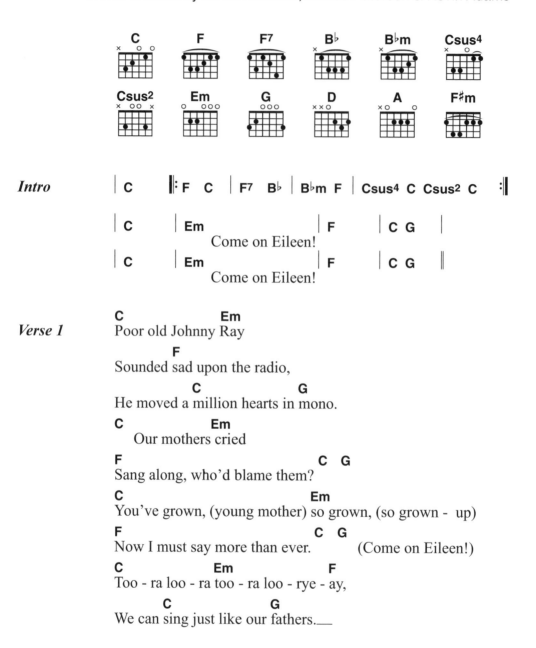

Intro | C   ‖: F   C | F7   B♭ | B♭m   F | Csus4   C   Csus2   C   :‖

| C | Em | F | C   G |
         Come on Eileen!
| C | Em | F | C   G   ‖
         Come on Eileen!

Verse 1

C   Em
Poor old Johnny Ray

            F
Sounded sad upon the radio,

            C   G
He moved a million hearts in mono.

C   Em
    Our mothers cried

F   C   G
Sang along, who'd blame them?

C   Em
You've grown, (young mother) so grown, (so grown - up)

F   C   G
Now I must say more than ever.   (Come on Eileen!)

C   Em   F
Too - ra loo - ra too - ra loo - rye - ay,

            C   G
We can sing just like our fathers.__

Chorus 1

    D   **A**
Come on Eileen! Woah, I swear (what he means)

        Em   **G**   **A**
At this moment, you mean every - thing

       D   **A**
With you in that dress, my thoughts (I confess)

        Em
Verge on dirty,

        G   **A**
Ah, come on Eil - een!

Link 1

| A | | A | |

| C | | Em | | F | | C G ‖

        Come on Eileen!

Verse 2

   C   **Em**
These people round here

       F
Wear beaten down eyes, sunk in smoke dried faces,

         C   **G**
They're re - signed to what their fate is.

     C
But not us, (no never)

     Em
No not us (no never).

F   **C** **G**
We are far too young and clever.   (Remember)

C   **Em**   **F**
Too - ra loo - ra too - ra loo rye - ay,

        C   **G**
Eileen, I'll hum this tune for - ever.

Chorus 2

D   A

Come on Eileen! Woah, I swear (what he means)

        Em   G   A

Ah come on, let's take off every - thing

     D   A

That pretty red dress, Ei - leen (tell him yes)

        Em   G   A

Ah, come on let's! Ah come on Ei - leen!

     D   A

That pretty red dress, Ei - leen (tell him yes)

        Em   G   A   D

Ah, come on let's! Ah come on Ei - leen, please.

Bridge 1

D   F♯m

(Come on! Eileen, ta - loo - rye - ay,)

                               G

(Come on! Eileen, ta - loo - rye - ay.)

Now you have grown,

Now you have shown,

D   A

Oh, Ei - leen.

     D

Say, come on Eileen,

                          F♯m

These things they are real and I know

How you feel

G

Now I must say more than ever,

D   A

   Things round here have changed.

      D   F♯m   G

I say, too - ra - loo - ra, too - ra - loo - rye - ay.

                            D A

(Too - ra too - ra ta - roo - la)

Chorus 3

```
         D                   A
Come on Eileen! Oh, I swear (what he means)
          Em               G    A
At this moment, you mean every - thing
         D                 A
With you in that dress, my thoughts (I confess)
           Em
Verge on dirty,
           G     A
Ah, come on Ei - leen!
```

Chorus 4

```
          D
𝄆 Ah, come on Eileen!
          A
Oh, I swear (what he means)
          E               G    A
At this moment, you mean every - thing
D                  A
You in that dress, my thoughts (I confess)
          Em
Well, they're dirty
          G   A
Come on Ei - leen! 𝄇  Repeat to fade ad lib.
```

Cosmic Dancer

Words & Music by Marc Bolan

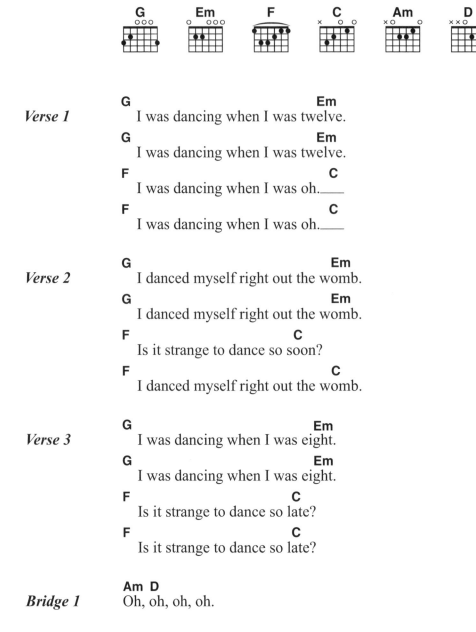

Verse 1

G   Em
I was dancing when I was twelve.

G   Em
I was dancing when I was twelve.

F   C
I was dancing when I was oh.____

F   C
I was dancing when I was oh.____

Verse 2

G   Em
I danced myself right out the womb.

G   Em
I danced myself right out the womb.

F   C
Is it strange to dance so soon?

F   C
I danced myself right out the womb.

Verse 3

G   Em
I was dancing when I was eight.

G   Em
I was dancing when I was eight.

F   C
Is it strange to dance so late?

F   C
Is it strange to dance so late?

Bridge 1

Am D
Oh, oh, oh, oh.

Verse 4

```
G                    Em
I danced myself into the tomb.
G                    Em
I danced myself into the tomb.
F                        C
Is it strange to dance so soon?
F                        C
I danced myself into the tomb.
```

Verse 5

```
G                    Em
Is it wrong to under - stand
G                            Em
The fear that dwells inside a man?
F                        C
What's it like to be a loon?
F                    C
I liken it to a bal - loon.
```

Bridge 2

```
Am D
Oh, oh, oh, oh.
```

Verse 6

```
G                        Em
I danced myself out of the womb.
G                        Em
I danced myself out of the womb.
F                        C
Is it strange to dance so soon?
F                        C
I danced myself into the tomb,
```

And then again once more.

Verse 7

```
G                        Em
I danced myself out of the womb.
G                        Em
I danced myself out of the womb.
F                        C
Is it strange to dance so soon?
F                            C
I danced myself out of the womb.
```

Bridge 3

```
Am D
Oh, oh, oh, oh.
```

Outro   ‖: G | G | Em | Em :‖ *Play 11 times*

Country Girl

Words & Music by Bobby Gillespie, Gary Mounfield, Martin Duffy & Andrew Innes

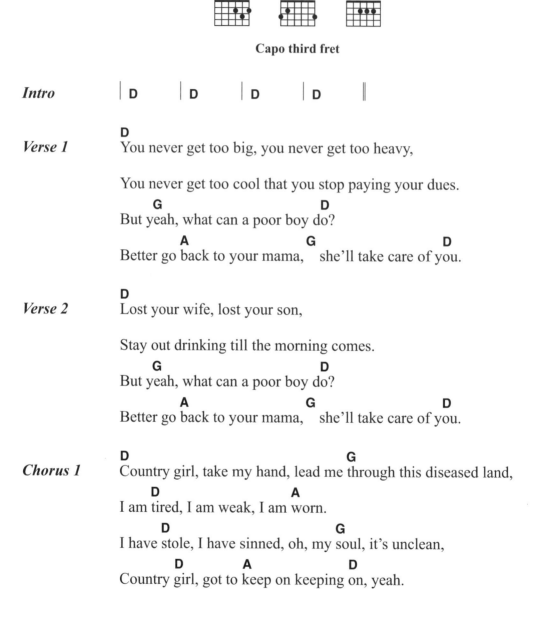

Capo third fret

Intro | D | D | D | D ||

Verse 1
D
You never get too big, you never get too heavy,

You never get too cool that you stop paying your dues.
  G   D
But yeah, what can a poor boy do?
  A   G   D
Better go back to your mama,   she'll take care of you.

Verse 2
D
Lost your wife, lost your son,

Stay out drinking till the morning comes.
  G   D
But yeah, what can a poor boy do?
  A   G   D
Better go back to your mama,   she'll take care of you.

Chorus 1
D   G
Country girl, take my hand, lead me through this diseased land,
D   A
I am tired, I am weak, I am worn.
D   G
I have stole, I have sinned, oh, my soul, it's unclean,
D   A   D
Country girl, got to keep on keeping on, yeah.

Verse 3

     D
Crazy women mess your head,

Wake up drunk and beaten in some strange bed.
     G   **D**
But yeah, what can a poor boy do?
       A   **G**   **D**
Better go back to your mama,   she'll take care of you.

Chorus 2   As Chorus 1

       (D) **G**   **D**
Bridge 1   Gotta keep on keeping on,
         G   **D**
Gotta keep on keeping strong.
         G   **D**
Gotta keep on keeping on
        A   **N.C.**   **(D)**
With you, got the riot city blues.

Instrumental | **D** | **D** | **D** | **D** |

              | **G** | **G** | **D** | **D** |

              | **A** | **G** | **D** | **D**   ‖

     D
Verse 4   One thing I have to say before I have to go,

Be careful with your seed, you will reap just what you sow.
     G   **D**
But yeah, what can a poor boy do, what can I do?
       A   **G**   **D**
You better go back to your mama,   she'll take care of you.
          N.C.
One last time.

Chorus 3

N.C.   D   G
Country girl, take my hand, lead me through this diseased land,

      D   A
I am tired, I am weak, I am worn.

       D   G
I have stole, I have sinned, oh, my soul, it's unclean,

       D   A   D
Country girl, got to keep on keeping on.

Chorus 4

   D   G
Country girl, take my hand, lead me through this diseased land,

      D   A
I am tired, I am weak, I am worn.

       D   G
I have stole, I have sinned, oh, my soul, it's unclean,

       D   A   D
Country girl, got to keep on keeping on.

         A   G   D
Country girl, got to keep on keeping on.

The Drugs Don't Work

Words & Music by Richard Ashcroft

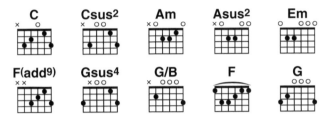

To match original recording tune guitar slightly flat

Intro

| C | Csus2 | C | Csus2 |

| Am | Asus2 | Am | Asus2 |

| Em | Em | F(add9) | Gsus4 |

| C | Csus2 | C | C |

Verse 1

C
All this talk of getting old,

    G/B   Am
It's getting me down my love.

          Em   F(add9)
Like a cat in a bag, waiting to drown,

    Gsus4   C   Csus2 C
This time I'm coming down.

Verse 2

C
And I hope you're thinking of me

         Am
As you lay down on your side.

          Em   F(add9)
Now the drugs don't work, they just make you worse,

    Gsus4   C   Csus2 C
But I know I'll see your face again.

Chorus 1

```
C                    Em                        F(add9)
Now the drugs don't work, they just make you worse,
    Gsus4           C            Csus2  C
But I know I'll see your face again.
```

Verse 3

```
C
But I know I'm on a losing streak,
                    Am
'Cause I passed down my old street.
                    Em                    F(add9)
And if you wanna show, then just let me know
        Gsus4           C         Csus2  C
And I'll sing in your ear again.
```

Chorus 2   As Chorus 1

Bridge 1

```
(C)           F    Em          Am                  G
'Cause baby, ooh,___ if heaven calls, I'm coming too.
              F    Em          Am                  G
Just like you said,___ you leave my life, I'm better off dead.
```

Verse 4

```
C
All this talk of getting old,
              Am
It's getting me down my love.
              Em               F(add9)
Like a cat in a bag, waiting to drown,
    Gsus4           C         Csus2  C
This time I'm com - ing down.
```

Chorus 3   As Chorus 1

Bridge 2

```
(C)           F    Em          Am                  G
'Cause baby, ooh,___ if heaven calls, I'm coming too.
              F    Em          Am                  G
Just like you said,___ you leave my life, I'm better off dead.
              Em               F(add9)
But if you wanna show, just let me know
        Gsus4           C         Csus2  C
And I'll sing in your ear again.
```

Chorus 4   As Chorus 1

Outro

   C Csus2   C   Csus2
   Yeah, I know I'll see your face again.

   C   Csus2   C   Csus2
    Yeah, I know I'll see your face again.

   C   Csus2   C   Csus2
    Yeah, I know I'll see your face again.

   C   Csus2   C   Csus2 C Csus2
    Yeah, I know I'll see your face again.

     C   Csus2
𝄆 I'm never going down, I'm never coming down,

    C   Csus2
No more, no more, no more, no more, no more.

    C   Csus2
I'm never coming down, I'm never going down,

    C   Csus2
No more, no more, no more, no more, no more. 𝄇 *Repeat to fade*

37

Dance The Night Away

Words & Music by Raul Malo

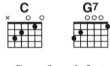

Capo fourth fret

Intro ‖: C | G7 | C | G7 :‖ *Play 3 times*

Verse 1

C   G7   G7
Here comes my happiness a - gain

C   G7   C   G7
Right back to where it should have   been

C   G7   C   G7
'Cause now she's gone and I am   free

C   G7   C   G7
And she can't do a thing to   me

Chorus 1

C   G7   C G7
I just wanna dance the night a - way

C   G7   C   G7
With seno - ritas who can   sway

C   G7   C G7
Right now to - morrow's lookin' bright

C   G7   C G7
Just like the sunny mornin' light

Verse 2

          C   G7
And if you should see her

         C   G7   C
Please let her know that I'm well

G7   C G7
  As you can tell

          C   G7
And if she should tell you

          C   G7
That she wants me back

          C
Tell her no

G7   C G7
  I gotta go

Chorus 2   As Chorus 1

Instrumental ‖: C | G⁷ | C | G⁷   :‖ *Play 4 times*

                    C   G⁷
Verse 3   And if you should see her

               C   G⁷   C
Please let her know that I'm well

G⁷   C   G⁷
  As you can tell

              C   G⁷
And if she should tell you

              C   G⁷
That she wants me back

              C
Tell her no

G⁷   C   G⁷
  I gotta go

Chorus 3   As Chorus 1

Chorus 4   As Chorus 1

Outro   ‖: C | G⁷ | C | G⁷   :‖

        | C | G⁷ | C | C   ‖

Easy

Words & Music by Lionel Richie

Intro
| A♭ | Cm7 | B♭m7 | E♭11 |
| A♭ | Cm7 | B♭m7 | B♭m7 ‖

Verse 1

 A♭   Cm7   B♭m7   E♭11
 Know it sounds funny, but I just can't stand the pain,
 A♭   Cm7   B♭m7 E♭11
 Girl, I'm leaving you tomor - row.
 A♭   Cm7   B♭m7   E♭11
 Seems to me girl you know I've done all I can,
 A♭   Cm7   B♭m7   E♭11
 You see I begged, stole and I borrowed, yeah.

Chorus 1

 (E♭11)   A♭ Cm7 B♭m7
 Ooh, that's why I'm ea - sy,
   E♭11   A♭ Cm7 B♭m7
 I'm easy like Sunday morn - ing.
 E♭11   A♭ Cm7 B♭m7
 That's why I'm ea - sy,_____
   E♭11   G♭ D♭/F E♭11 A♭
 I'm easy like Sunday morn - ing.

Verse 2

 A♭   Cm7   B♭m7   E♭11
 Why in the world would anybody put chains on me?
 A♭ Cm7   B♭m7 E♭11
 I've paid my dues to make it.
 A♭   Cm7   B♭m7   E♭11
 Everybody wants me to be what they want me to be,
 A♭   Cm7   B♭m7   E♭11
 I'm not happy when I try to fake it, no.

Chorus 2   As Chorus 1

Bridge

(A♭)   G♭maj7 D♭/F E♭m7   A♭11
I wanna be high,   so   high,

                D♭/F G♭maj7   D♭/F E♭m7   A♭11
I wan - na be free to know the things I do are   right.

          D♭/F   G♭maj7
I wan - na be free,

D♭/F E♭m7   A♭11
Just   me,   whoa, baby.

Link | E♭m7 | G♭/D♭ | E♭m7 | D♭ | D♭   ‖

Guitar solo | A♭ | Cm7 | B♭m7 | E♭11 |

                  | A♭ | Cm7 | B♭m7 | E♭11 |

                  | A♭ | Cm7 | B♭m7 | E♭11 |

                  | A♭ | Cm7 | B♭m7 | B♭m7   ‖

Chorus 3

(B♭m7)   A♭   Cm7 B♭m7
That's why I'm easy,

        E♭11   A♭   Cm7   B♭m7
I'm easy like Sunday morn - ing, yeah.

E♭11   A♭   Cm7 B♭m7
    That's why I'm ea - sy,_____

        E♭11   A♭   Cm7   B♭m7 Bm7
I'm easy like Sunday morning,_____ whoa._____

Chorus 4

(Bm7)   A C♯m7   Bm7
'Cause I'm ea   -   sy,

E11   A   C♯m7   Bm7
Easy like Sunday morning,   yeah._____

E11   A   C♯m7 Bm7
   'Cause I'm easy,

E11   A   C♯m7   Bm7
Easy like Sunday morning,   whoa._____   *To fade*

41

Every Teardrop Is A Waterfall

Words and Music by Harry Castioni, Alex Christensen, B. Lagonda, Wycombe,
Guy Berryman, Jonathan Buckland, William Champion, Christopher Martin,
Brian Eno, Peter Allen and Adrienne Anderson

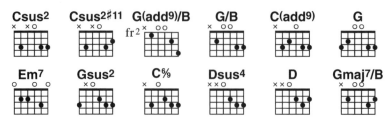

Capo second fret

Intro   ‖: Csus² Csus#11 │ Csus² Csus#11 │ G(add9)/B G/B │ G(add9)/B G/B :‖

Verse 1
     (G/B)   Csus² Csus2#11   Csus² Csus2#11
I turn the music up, I got my records on,

        G(add9)/B G/B   G(add9)/B G/B
I shut the world out - side until the lights come on.

       Csus²   Csus2#11   Csus² Csus2#11
Maybe the street's a - light, maybe the trees are gone,

       G(add9)/B G/B   G(add9)/B G/B
And I feel my heart start beating to my favourite   song.

       C(add9)
And all the kids they dance, all the kids all night

     G
Until Monday morning feels another life.

      Em⁷
I turn the music up, I'm on a roll this time

      C(add9)
And heaven is in sight.

Link 1   ‖: Gsus² G │ C% C(add9) │ Gsus² G │ C% C(add9) :‖

Verse 2

C(add9)
I turn the music up, I got my records on,

    G/B
From under - neath the rubble sing a rebel song.

    C(add9)
Don't want to see another generation drop,

   G/B
I'd rather be a comma than a full stop.

    C(add9)
Maybe I'm in the black, maybe I'm on my knees,

   G/B
Maybe I'm in the gap between the two trapezes.

    Em7
But my heart is beating and my pulses start,

   C(add9)
Ca - thedrals in my heart.

Chorus

C(add9)   G/B
As we saw, whoa, oh this light,

    Em7   C(add9)
I swear you emerge blinking into to tell me it's all right.

      G/B   Em7
As we soar walls,___ every siren is a symphony

      C(add9)   Gsus2 G
And every tear's a waterfall, is a water - fall.

   C% C(add9) Gsus2 G
Ah,___ is a water - fall,

   C%   C(add9) Gsus2 G
Ah,___ is a, is a water - fall.

    C%   C(add9) Gsus2 G C% C(add9)
Every teardrop, ooh, is a water - fall. Ah.___

Bridge

C(add9)   Dsus4 D   C(add9)
So you can hurt,   hurt me bad,

               Gmaj7/B C(add9)   Gsus2 G C% C(add9) Gsus2 G C%
But still I'll raise_____ the flag.   Ooh.

C(add9)   Gsus2 G C%   C(add9) Gsus2 G C%   C(add9)
It was a wa   -   - ter - fall, a wa   -   - ter - fall.

Link 2

C(add9)	C(add9)	G	G

Outro

C(add9)   G
Every tear, every tear,   every teardrop is a waterfall.

C(add9)   G
Every tear, every tear,   every teardrop is a waterfall.

C(add9)   G
Every tear, every tear,   every teardrop is a waterfall.

C(add9)   G
Every tear, every tear,   every teardrop is a waterfall.

C(add9)   G
Every tear, every tear,   every teardrop is a waterfall.

For Once In My Life

Words by Ronald Miller
Music by Orlando Murden

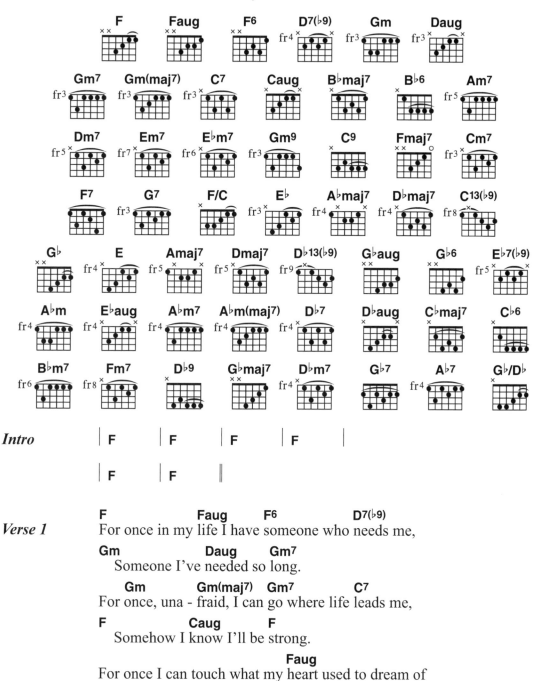

Intro

| F | F | F | F | |

| F | F | ‖

Verse 1

    F   Faug   F6   D7(♭9)
For once in my life I have someone who needs me,

Gm   **Daug**   **Gm7**
  Someone I've needed so long.

      Gm   **Gm(maj7)** **Gm7**   **C7**
For once, una - fraid, I can go where life leads me,

    F   **Caug**   **F**
  Somehow I know I'll be strong.

                       Faug
For once I can touch what my heart used to dream of

cont.

B♭maj⁷   **B♭6**
    Long before I knew.

    Am⁷   **Dm⁷**   **Gm⁷**   **Am⁷**   **B♭maj⁷**
Oh,⎯ someone warm like you would make my dream come true.

Em⁷ **E♭m⁷** **Dm⁷** **Gm⁷** **C⁷**
Yeah,⎯⎯ yeah, yeah.

Verse 2

      F   **Faug**   **F6**   **D7(♭9)**
For once in my life I won't let sorrow hurt me,

Gm⁹   **C⁹**
    Not like it's hurt me be - fore.

    Gm   **Gm(maj⁷)** **Gm⁷**   **C⁹**
For once, I have something I know won't de - sert me,

Fmaj⁷   **F6**   **Cm⁷** **F⁷**
    I'm not a - lone any - more.

    F   **Faug**
For once, I can say this is mine, you can't take it,

    B♭maj⁷   **G⁷**
As long as I know I have love, I can make it.

    F/C   **Dm⁷**   **Gm⁷**   **C⁹**   **F**
For once in my life, I have someone who needs me.

Link 1

    F   **E♭** **A♭maj⁷** **D♭maj⁷**   **C13(♭9)**
(Someone who needs me) Hey yeah, yeah, hey yeah.

G♭   **E**   **Amaj⁷** **Dmaj⁷** **D♭13(♭9)**
(Someone who needs me) Oh baby, oh baby.

Instrumental

| G♭ G♭aug | G♭6   E♭7(♭9) | A♭m E♭aug | A♭m⁷ |

| A♭m A♭m(maj⁷) | A♭m⁷ D♭7 | G♭   D♭aug | G♭ |

| G♭ | G♭aug | C♭maj⁷ | C♭6 |

| B♭m⁷ | E♭m⁷ | A♭m⁷ B♭m⁷ |

| C♭maj⁷ Fm⁷ Em⁷ E♭m⁷ A♭m⁷ D♭7 ‖

Verse 3

     G♭   **G♭aug**   **G♭6**   **E♭7(♭9)**
For once in my life I won't let sorrow hurt me,

A♭m7   **D♭9**
   Not like it's hurt me be - fore.

     A♭m   **A♭m(maj7)** **A♭m7**   **D♭9**
For once, I have something I know won't de - sert me,

G♭maj7   **G♭6**   **D♭m7**   **G♭7**
  I'm not a - lone any - more.

     G♭   **G♭aug**
For once, I can say this is mine, you can't take it,

  C♭maj7   **A♭7**
As long as I know I have love, I can make it.

   G♭/D♭   **E♭m7**   **A♭m7**   **D♭9**   **G♭**
For once in my life, I have someone who needs me.

Outro

G♭   **E**   **Amaj7** **Dmaj7**   **D♭13(♭9)**
(Someone who needs me) Oh, for once in my life.

G♭   **E**   **Amaj7** **Dmaj7**   **D♭13(♭9)**
(Someone who needs me) Yeah, some - body like needs me.

G♭   **E**   **Amaj7** **Dmaj7** **D♭13(♭9)**
(Someone who needs me)   *Ad lib. fade*

Femme Fatale

Words & Music by Lou Reed

Amaj7   Dmaj9(♭5)   Bm   E   A   D   G

Capo third fret

Intro | Amaj7 | Dmaj9(♭5) | Amaj7 | Dmaj9(♭5) ‖

Verse 1

Amaj7   Dmaj9(♭5)   Amaj7   Dmaj9(♭5)
Here she comes,   you better watch your step.

Amaj7   Dmaj9(♭5)   Bm   E
    She's going to break your heart in two, it's true.

Amaj7   Dmaj9(♭5)   Amaj7   Dmaj9(♭5)
    It's not hard to rea - lise, just   look into her false coloured eyes.

Amaj7   Dmaj9(♭5)   Bm   E
    She builds you up to just put you down, what a clown.

Chorus 1

E   A   D
'Cause everybody knows (she's a femme fa - tale)

                    A   D
The things she does to please, (she's a femme fa - tale)

                    A   D
She's just a little tease. (She's a femme fa - tale)

                    Bm   G   E
See the way she walks, hear the way she   talks.

Verse 2

Amaj7   Dmaj9(♭5)
    You're put down in her book,

        Amaj7   Dmaj9(♭5)
You're number thirty-seven, have a look.

Amaj7   Dmaj9(♭5)   Bm   E
    She's going to smile to make you frown, what a clown.

Amaj7   Dmaj9(♭5)
    Little boy, she's from the street,

        Amaj7   Dmaj9(♭5)
Be - fore you start, you're already beat.

Amaj7   Dmaj9(♭5)   Bm   E
    She's going to play you for a fool, yes, it's true.

Chorus 2

  E   A   D
'Cause everybody knows (she's a femme fa - tale)

         A   D
The things she does to please, (she's a femme fa - tale)

     A   D
She's just a little tease. (She's a femme fa - tale)

       Bm   G   E
See the way she walks, hear the way she   talks.

Chorus 3

  E   A   D
'Cause everybody knows (she's a femme fa - tale)

         A   D
The things she does to please, (she's a femme fa - tale)

     A   D
She's just a little tease. (She's a femme fa - tale)

   A   D
Oh, oh, oh. (She's a femme fa - tale)

   A   D
Oh, oh, oh. (She's a femme fa - tale)

   A   D
Oh, oh, oh. (She's a femme fa - tale) *To fade*

Forever

Words & Music by Ben Harper

C   F   G   Am   G5   C/B   G/B

Intro | C F | G Am | C F | G5 ||

Verse 1
```
        C              F      G        Am
Not talking about a year, no not three or___ four,
      C              F      G      Am
I don't want that kind of forever in my life anymore.
        C          F         G            Am
For - ever always seems to be a - round when it be - gins,
          C        F          G          Am
But for - ever never seems to be a - round when it ends.
```

Chorus 1
```
        C/B        C  G/B  Am  G
So give me your   for - ever,
                 C    G/B  Am  G
Please, your   for - ever,
                   C    G/B Am  G      C    G/B G Am C/B
Not a day less will   do           from you.
```

Verse 2
```
      (C/B) C            F    G        Am
People spend so much time every sin - gle day
  C          F                 G            Am
Running 'round all over town giving their forever a - way.
      C        F       G        Am
But no, not me, I won't let my forever roam,
        C        F         G        Am
And now I hope I can find my forever a home.
```

Chorus 2   As Chorus 1

Instrumental | C   F | G   Am | C   F | G   Am |

| C   F | G   Am | C   F | G   Am   C/B |

| C   G/B | Am   G | C   G/B | Am   G |

| C   G/B | Am   G | C   G/B | G   Am   C/B ‖

        (C/B) C   F   G   Am

Verse 3   Like a handless clock with numbers,   an infinite of time,

        C   F   G   Am

No, not the forever found only in the mind.

           C   F   G   Am

For - ever always seems to be a - round when things be - gin,

            C   F   G   Am

But for - ever never seems to be a - round when things end.

        C/B   C   G/B   Am G

Chorus 3   So give me your   for - ever,

                 C   G/B   Am G

Please, your   for - ever,

                       C   G/B Am G   C   G/B Am G C

Not a day less will   do   from you.

Going To California

Words & Music by Jimmy Page & Robert Plant

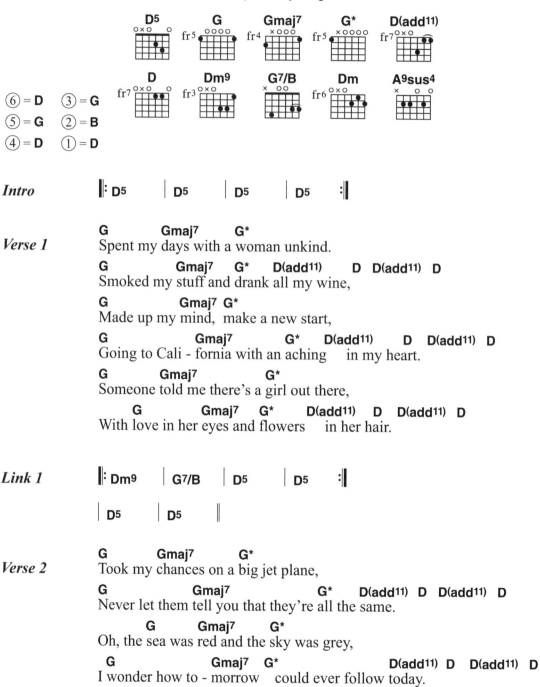

⑥ = D ③ = G
⑤ = G ② = B
④ = D ① = D

Intro ‖: D5 | D5 | D5 | D5 :‖

Verse 1

G   Gmaj7   G*
Spent my days with a woman unkind.

G   Gmaj7 G* D(add11)   D D(add11) D
Smoked my stuff and drank all my wine,

G   Gmaj7 G*
Made up my mind, make a new start,

G   Gmaj7   G* D(add11)   D D(add11) D
Going to Cali - fornia with an aching   in my heart.

G   Gmaj7   G*
Someone told me there's a girl out there,

        G   Gmaj7   G*   D(add11) D D(add11) D
With love in her eyes and flowers   in her hair.

Link 1 ‖: Dm9 | G7/B | D5 | D5 :‖

| D5 | D5 ‖

Verse 2

G   Gmaj7   G*
Took my chances on a big jet plane,

G   Gmaj7   G* D(add11) D D(add11) D
Never let them tell you that they're all the same.

        G   Gmaj7   G*
Oh, the sea was red and the sky was grey,

G   Gmaj7 G*   D(add11) D D(add11) D
I wonder how to - morrow   could ever follow today.

cont.

G   Gmaj7   G*
Mountains and the canyons start to tremble and shake,

  G   Gmaj7 G* D(add11) D D(add11) D
The children of the sun begin to a - wake.

Watch out.

Bridge

  Dm
It seems that the wrath of the gods got a punch on the nose,

                A9sus4
And it's starting to flow, I think I might be sinking.

Dm
Throw me a line, if I reach it in time,

                A9sus4
Meet you up there where the path runs straight and high.

Link 2 | D5 | D5 | D5 | D5 ||

Verse 3

G   Gmaj7   G*
To find a queen with - out a king,

     G   Gmaj7 G*   D(add11) D D(add11) D
They say she plays gui - tar and cries and sings. La, la, la, la.

G   Gmaj7   G*
Ride a white mare in the footsteps of dawn,

G   Gmaj7   G*
Trying to find a woman who's never,

     D(add11) D D(add11) D
Never, never been born.

G   Gmaj7 G*
Standing on a hill in the mountain of dreams,

G   Gmaj7   G*   D(add11)   D
Telling my - self it's not as hard, hard, hard as it seems.

D(add11) D
Mmm, ah.

Link 3 ||: Dm9 | G7/B | D5 | D5 :||

       ||: D5 | D5 | D5 | D5 :|| *Play 3 times*

Outro

  D5
Ah.

Ah. *Repeat to fade*

Grace

Words & Music by Jeff Buckley & Gary Lucas

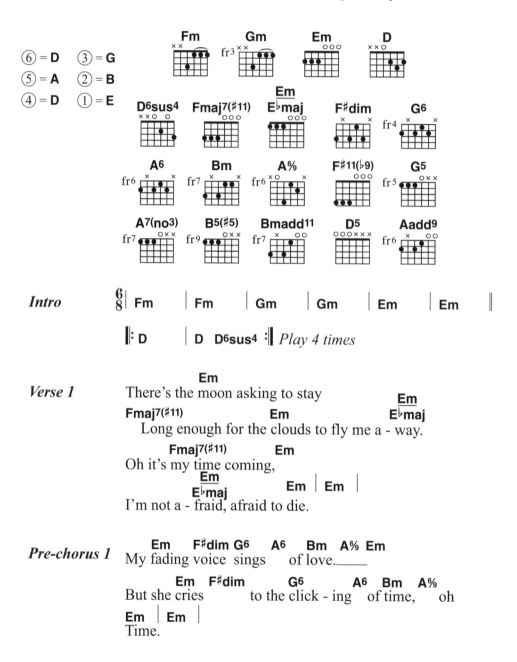

Intro $\frac{6}{8}$| Fm | Fm | Gm | Gm | Em | Em |

‖: D | D D6sus4 :‖ *Play 4 times*

Verse 1

        Em
There's the moon asking to stay
Fmaj7(♯11)   **Em**   **Em E♭maj**
  Long enough for the clouds to fly me a - way.
        Fmaj7(♯11)   **Em**
Oh it's my time coming,
        Em
  E♭maj   **Em** | **Em** |
I'm not a - fraid, afraid to die.

Pre-chorus 1

      Em   **F♯dim G6**   **A6**   **Bm A% Em**
My fading voice sings   of love.____
         Em F♯dim   **G6**   **A6 Bm A%**
But she cries   to the click - ing of time,   oh
Em | **Em** |
Time.

Chorus 1

Fmaj7(#11)
Wait in the fire, Em   Em
Em   E♭maj | E♭maj |
Wait in the fire.___

Fmaj7(#11)
Wait in the fire, Em   Em
Em   E♭maj | E♭maj |
Wait in the fire.___

Em
Burn.___

Instrumental 1 | Fm | Fm | Gm | Gm | Em | Em |

‖: D | D D6sus4 :‖ *Play 4 times*

Verse 2

      Em
And she weeps on my arm,   Em
Fmaj7(#11)   Em   E♭maj
  Walking to the bright lights in sorrow.   Em
   Fmaj7(#11)   Em   E♭maj
Oh, drink a bit of wine, we both might go to - morrow
      Em
Oh, my love.

Pre-chorus 2

      Em   F#dim G6 A6
And the rain is fall - ing
      Bm A‰   Em
And I be - lieve   my time has come.
     Em   F#dim G6   A6
It re - minds me of the   pain
     Bm
I might leave,
A‰   Em
  Leave be - hind.

Chorus 2   As Chorus 1

55

Middle

Em
E♭maj   **Fmaj7(♯11)** **G6** | **G6** | |
Burn._____

F♯11(♭9) **Fmaj7(♯11)**   **Em** **G5** **A7(no3)**
Ah._____

B5(♯5) ‖: **Bm F♯dim**| **G6 A6** | **Bm(add11)**| **Aadd9** :‖ **Em**
Please_____ please.____

      Em   **F♯dim G6 A6**
It re - minds me of the pain

         Bm(add11) Aadd9   **Em** | **Em** | |
I might leave_____ be - hind.

Instrumental 2 As Instrumental 1

Verse 3

      Em
And I feel them drown my name

     Fmaj7(♯11)
So easy to **Em**
Em   **E♭maj**
Know and forget with this kiss

    Fmaj7(♯11)   **Em**
I'm not afraid to go   **Em**   **Em**
      Em | **Fmaj7(♯11)** | **Em** | **E♭maj** | **E♭maj** |
    E♭maj
But it goes so slow__ **Em**   **Em**
Fmaj7(♯11) | **Em** | **E♭maj** | **E♭maj** |
Oh._____

Outro

Fmaj7(♯11)
Wait in the fire,

Em
Wait in the fire,

   Em   **Em**
E♭maj | **E♭maj** |
  Ah, ah, ah._____

                 Em   **Em**
‖: **Fmaj7(♯11)**| **Em** | **E♭maj** | **E♭maj** :‖ *Play ad lib. 6 times*

I Still Believe

Words & Music by Frank Turner

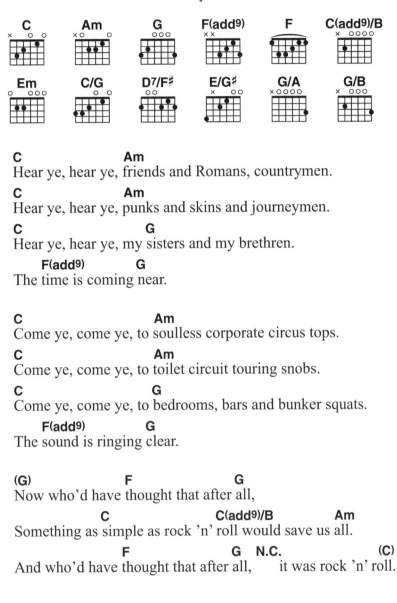

Verse 1

C   Am
Hear ye, hear ye, friends and Romans, countrymen.

C   Am
Hear ye, hear ye, punks and skins and journeymen.

C   G
Hear ye, hear ye, my sisters and my brethren.

  F(add9)   G
The time is coming near.

Verse 2

C   Am
Come ye, come ye, to soulless corporate circus tops.

C   Am
Come ye, come ye, to toilet circuit touring snobs.

C   G
Come ye, come ye, to bedrooms, bars and bunker squats.

  F(add9)   G
The sound is ringing clear.

Chorus 1

(G)   F   G
Now who'd have thought that after all,

      C   C(add9)/B Am
Something as simple as rock 'n' roll would save us all.

       F   G N.C.   (C)
And who'd have thought that after all, it was rock 'n' roll.

Link 1 ‖: C | C | Am | Am :‖

Verse 3

C   Am
Hear ye, hear ye, now anybody could take this stage.
C   Am
Hear ye, hear ye, and make miracles for minimum wage.
C   G
Hear ye, hear ye, these folk songs for the modern age
    F(add9)   G
Will hold us in their arms.

Verse 4

C   Am
Right here, right now, Elvis brings his children home.
C   Am
Right here, right now, you never have to feel alone.
C   G
Right here, right now, teenage kicks and gramophones.
    F(add9)   G
We hold them in our hearts.

Chorus 2   As Chorus 1

Link 2 | C | C | C | C ||

Bridge

N.C.   Am   Em
And I still be - lieve (I still believe) in the saints.

Yeah, in Jerry Lee and in Johnny and all the greats.
                Am   Em
And I still be - lieve (I still believe) in the sound
               F   C/G   Em
That has the power to raise a temple and tear it down.
                Am   Em
And I still be - lieve (I still believe) in the need
               F   C/G   Em
For gui - tars and drums and desperate poet - ry.
                Am   Em
And I still be - lieve (I still believe) that every - one
            F   D7/F♯
Can find a song for every time they've lost and every time they've won.
         G   E/G♯
So just re - member folks we not just saving lives,
           Am   (C)
We're saving souls and we're having fun.

Instrumental | C | C | Am | Am |
               | C | C | Am | Am |
               | C | C | G | G   ‖

Chorus 3
```
        G              F    G
And I still be - lieve.____
                    F              G
Now who'd have thought that after all,
            C              C(add9)/B        Am
Something as simple as rock 'n' roll would save us all.
                    F              G
Now who'd have thought that after all,
                F              G
Something so simple, something so small.
                F          G    G/A  G/B          C
Who'd have thought that after all      it's rock 'n' roll?
```

Hey, Soul Sister

Words & Music by Espen Lind, Pat Monahan & Amund Bjørklund

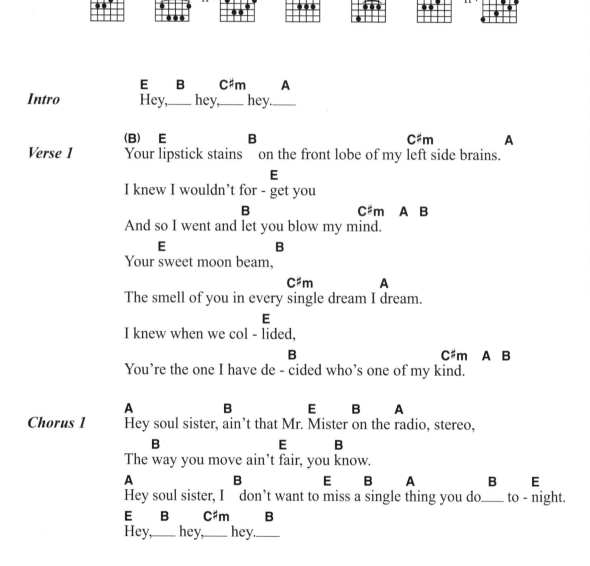

Intro

E   B   C#m   A
Hey,___ hey,___ hey.___

Verse 1

(B) E   B   C#m   A
Your lipstick stains   on the front lobe of my left side brains.
                                    E
I knew I wouldn't for - get you
                              B   C#m A B
And so I went and let you blow my mind.
              E   B
Your sweet moon beam,
                        C#m   A
The smell of you in every single dream I dream.
                      E
I knew when we col - lided,
                              B   C#m A B
You're the one I have de - cided who's one of my kind.

Chorus 1

A   B   E   B   A
Hey soul sister, ain't that Mr. Mister on the radio, stereo,
      B   E   B
The way you move ain't fair, you know.
A   B   E   B   A   B   E
Hey soul sister, I   don't want to miss a single thing you do___ to - night.
E   B   C#m   B
Hey,___ hey,___ hey.___

Verse 2

E   B   C♯m   A
Just in time, I'm so glad you have a one-track mind like me.

          E
You gave my life di - rection,

           B   C♯m A B
A game show love con - nection we can't de - ny, ay, ay.___

   E   B
I'm so obsessed,

                C♯m   A
My heart is bound to beat right out my untrimmed chest.

      E   B
I believe in you, like a virgin, you're Ma - donna,

           C♯m   A B
And I'm always gonna wanna blow your mind.___

Chorus 2   As Chorus 1

Bridge

E   B   C♯m
The way you can cut a rug, watching you's the only drug I need.

                        A/C♯
You're so gangsta, I'm so thug, you're the only one I'm dreaming of.

   E/B   B
You see, I can be myself now final - ly,

             C♯m
In fact there's nothing I can't be.

      C♯m7/B   A   B
I want the world to see you be with me.

Chorus 3

A   B   E   B   A
Hey soul sister, ain't that Mr. Mister on the radio, stereo,

   B   B   E
The way you move ain't fair, you know.

A   B   E   B A   B
Hey soul sister, I don't want to miss a single thing you do to - night.

A   B   E   B A   B   E
Hey soul sister, I don't want to miss a single thing you do___ to - night.

      B   C♯m   A
Hey,___ hey, ___hey.___

      E   B   C♯m   A B
To - night, hey,___ hey,___ hey___

     E
To - night.

Holocene

Words & Music by Justin Vernon

C   Am¹¹   C(add9)/G   Fmaj¹³   C(add9)/B

***Guitar restrung to Nashville tuning
strings 3-6 one octave higher than standard**

*⑥ = E   ③ = G
⑤ = A   ② = B
④ = D   ① = E

Intro

‖: C | C | Am¹¹ | C(add9)/G |

| C(add9)/G | C(add9)/G | C(add9)/G | Am¹¹ |

| Fmaj¹³ | Fmaj¹³ | Fmaj¹³ | Fmaj¹³ :‖

Verse 1

      C   Am¹¹   C(add9)/G

Someway, baby, it's part of me, a - part from me,

      Am¹¹   Fmaj¹³

You're laying waste to Halloween.

        C   Am¹¹   C(add9)/G

You fucked it, friend, it's on its head, it struck the street,

      Am¹¹   Fmaj¹³

You're in Milwaukee, off your feet.

Chorus 1

      Fmaj¹³   Am¹¹   C(add9)/G

And at once I knew I was not magnificent.

      Fmaj¹³   Am¹¹   C(add9)/G

Strayed above the highway aisle.

      Fmaj¹³ Am¹¹   C   C(add9)/G

Jagged vacance, thick with ice,

                    Am¹¹ Fmaj¹³ C(add9)/G   C

But I could see for miles, miles,   miles.

Verse 2

C   **Am**^{11} **C(add**^{9}**)/G**
3rd and Lake, it burnt away, the hall - way

     Am^{11} **Fmaj**^{13}
Was where we learned to celebrate.

C   **Am**^{11} **C(add**^{9}**)/G**
Automatic bought the years you'd talk for me,

     Am^{11} **Fmaj**^{13}
That night you played me 'Lip Parade'.

C   **Am**^{11} **C(add**^{9}**)/G**
Not the needle, nor the thread, the lost de - cree,

     Am^{11} **Fmaj**^{13}
Saying nothing, that's e - nough for me.

Chorus 2

Fmaj^{13} **Am**^{11} **C(add**^{9}**)/G**
And at once I knew I was not magnificent.

Fmaj^{13} **Am**^{11} **C(add**^{9}**)/G**
Hulled far from the highway aisle.

Fmaj^{13} **Am**^{11} C   **C(add**^{9}**)/G**
Jagged vacance, thick with ice,

                  Am^{11} **Fmaj**^{13} **C(add**^{9}**)/G** C
But I could see for miles, miles,   miles.

Bridge

C   **Am**^{11} **C(add**^{9}**)/B**
Christmas night, it clutched the light,   the hallow bright,

   C
A - bove my brother, I and tangled spines.

                               Am^{11} **C(add**^{9}**)/G**
We smoked the screen to make it what it was to be,

     Am^{11} **Fmaj**^{13}
Now to know it in my memory.

Chorus 3

Fmaj^{13} **Am**^{11} **C(add**^{9}**)/G**
And at once I knew I was not magnificent.

Fmaj^{13} **Am**^{11} **C(add**^{9}**)/G**
High above the highway aisle.

Fmaj^{13} **Am**^{11} C   **C(add**^{9}**)/G**
Jagged vacance, thick with ice,

                  Am^{11} **Fmaj**^{13} **C(add**^{9}**)/G** C
But I could see for miles, miles,   miles.

The House Of The Rising Sun

Words & Music by Alan Price

Am   C   D   F   E   Dm

Intro | Am | C | D | F | Am | E | Am | E ||

Verse 1
       Am C   D   F
There is a house in New Orleans
       Am   C   E
They call the Rising Sun
          Am   C   D   F
And it's been the ruin of many a poor boy
       Am   E
And God I know, I'm (one.)

| Am | C | D | F | Am | E | Am | E ||
one.

Verse 2
       Am   C   D   F
My mother was a tailor,
       Am   C   E
She sewed my new blue jeans.
       Am C   D   F
My father was a gambling man
Am   E
Down in New Or-(leans.)

| Am | C | D | F | Am | E | Am | E ||
-leans.

Verse 3
       Am C   D   F
Now the only thing a gambler needs
       Am   C E
Is a suitcase and a trunk,
       Am C   D   F
And the only time he's satisfied
       Am   E
Is when he's all a-(drunk.)

| Am | C | D | F | Am | E | Am | E ||
drunk.

Organ solo | Am | C | D | F | Am | C | E | E |

| Am | C | D | F | Am | E |

Link ‖: Am | C | D | F | Am | E | Am | E   ‖

        Am   C   D   F

Verse 4 Oh mother,   tell your children

              Am   C   E

Not to do what I have done.

Am   C   D   F

Spend your lives in sin and misery

           Am   E

In the house of the Rising (Sun.)

  | Am | C | D | F | Am | E | Am | E   ‖
Sun.

               Am   C   D   F

Verse 5 Well I've got one foot on the platform,

         Am   C   E

The other foot on the train.

         Am C   D   F

I'm going back to New Orleans

         Am   E

To wear that ball and (chain.)

  | Am | C | D | F | Am | E | Am | E   ‖
chain.

Verse 6 As Verse 1

Coda | Am | C | D | F | Am | E |

‖: Am | Dm | Am | Dm   :‖ Am | Dm | Am   ‖

65

I Will Wait

Words & Music by Mumford & Sons

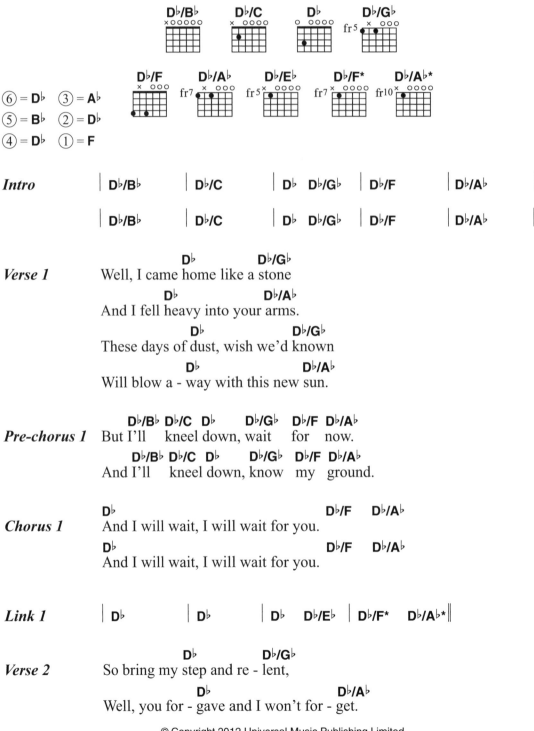

Intro

| D♭/B♭ | D♭/C | D♭ D♭/G♭ | D♭/F | D♭/A♭ |

| D♭/B♭ | D♭/C | D♭ D♭/G♭ | D♭/F | D♭/A♭ ‖

Verse 1

      D♭   **D♭/G♭**
Well, I came home like a stone

      D♭   **D♭/A♭**
And I fell heavy into your arms.

       D♭   **D♭/G♭**
These days of dust, wish we'd known

       D♭   **D♭/A♭**
Will blow a - way with this new sun.

Pre-chorus 1

  D♭/B♭ D♭/C D♭   **D♭/G♭** **D♭/F D♭/A♭**
But I'll   kneel down, wait   for   now.

  D♭/B♭ D♭/C D♭   **D♭/G♭** **D♭/F D♭/A♭**
And I'll   kneel down, know my ground.

Chorus 1

D♭
And I will wait, I will wait for you. **D♭/F** **D♭/A♭**

D♭
And I will wait, I will wait for you. **D♭/F** **D♭/A♭**

Link 1

| D♭ | D♭ | D♭ D♭/E♭ | D♭/F* D♭/A♭*‖

Verse 2

     D♭   **D♭/G♭**
So bring my step and re - lent,

     D♭   **D♭/A♭**
Well, you for - gave and I won't for - get.

cont.

             D♭   **D♭/G♭**
Know what we've seen and him with less,

         D♭   **D♭/A♭**
Now in some way shake the ex - cess.

Chorus 2

     D♭   **D♭/F**   **D♭/A♭**
'Cause I will wait, I will wait for you.

   D♭   **D♭/F**   **D♭/A♭**
And I will wait, I will wait for you.

   D♭   **D♭/F**   **D♭/A♭**
And I will wait, I will wait for you.

   D♭   **D♭/F**   **D♭/A♭**
And I will wait, I will wait for you.

Verse 3

      D♭   **D♭/G♭**
Now, I'll be bold as well as strong

      D♭   **D♭/A♭**
And use my head alongside my heart.

      D♭   **D♭/G♭**
So tame my flesh and fix my eyes,

      D♭   **D♭/A♭**
A tethered mind freed from the lies.

Pre-chorus 2

D♭/B♭ **D♭/C** **D♭**   **D♭/G♭** **D♭/F** **D♭/A♭**
And I'll   kneel down, wait   for   now.

D♭/B♭ **D♭/C** **D♭**   **D♭/G♭** **D♭/F** **D♭/A♭**
I'll   kneel down, know my   ground.

Link 2

‖: **D♭** | **D♭**   **D♭/C** | **D♭/B♭** | **D♭/B♭**   **D♭/G♭** |

| **D♭/F** | **D♭/A♭**   :‖

Bridge

D♭   **D♭/C** **D♭/B♭** **D♭/G♭**   **D♭/F** **D♭/A♭**
Raise   my hands, paint my spirit gold.

D♭   **D♭/C** **D♭/B♭** **D♭/G♭**   **D♭/F** **D♭/A♭**
Bow   my head, feel my heart slow.

Chorus 3

     D♭   **D♭/F**   **D♭/A♭**
'Cause I will wait, I will wait for you.

   D♭   **D♭/F**   **D♭/A♭**
And I will wait, I will wait for you.

   D♭   **D♭/F**   **D♭/A♭**
And I will wait, I will wait for you.

   D♭   **D♭/F**   **D♭/A♭**   **D♭**
And I will wait, I will wait for you.

I Won't Give Up

Words & Music by Jason Mraz & Michael Natter

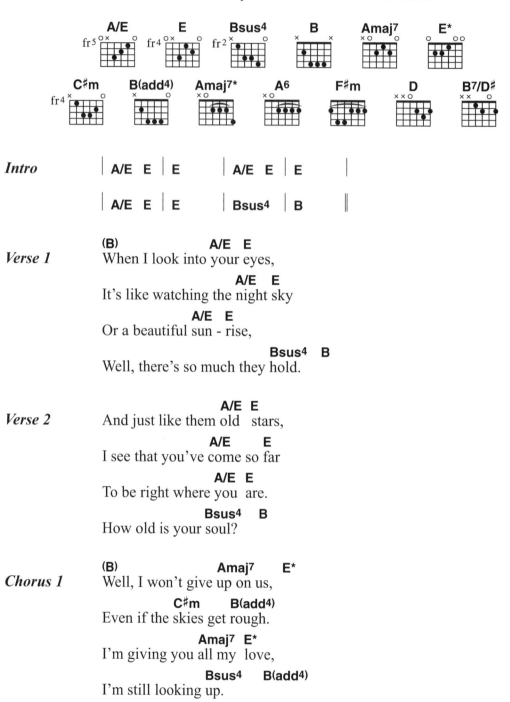

Intro

| A/E E | E | A/E E | E |

| A/E E | E | Bsus⁴ | B |

Verse 1

(B)   A/E E
When I look into your eyes,

            A/E E
It's like watching the night sky

     A/E E
Or a beautiful sun - rise,

          Bsus⁴ B
Well, there's so much they hold.

Verse 2

         A/E E
And just like them old   stars,

       A/E   E
I see that you've come so far

     A/E E
To be right where you are.

   Bsus⁴   B
How old is your soul?

Chorus 1

(B)   Amaj⁷   E*
Well, I won't give up on us,

       C♯m   B(add⁴)
Even if the skies get rough.

     Amaj⁷ E*
I'm giving you all my love,

     Bsus⁴   B(add⁴)
I'm still looking up.

Verse 3

(B(add4))   A/E   E
And when you're needing your space
           A/E   E
To do some navi -gating,
        A/E   E
I'll be here patiently waiting
            Bsus4   B
To see what you find.

Chorus 2

(B)   Amaj7   E*
'Cause even the stars they burn,
        C#m   B(add4)
Some even fall to the earth.
       Amaj7 E*
We've got a lot to   learn,
          Bsus4
God knows we're worth it,
          (Amaj7*)
No, I won't give up.

Link

| Amaj7* A6 | Amaj7* A6 ‖

Bridge

(A6)   F#m
I don't wanna be someone who walks away so easily,
                                         B
I'm here to stay and make the difference that I can make.
   F#m
Our differences, they do a lot to teach us how to use
                               B
The tools and gifts we got, yeah, we got a lot at stake.
          D
And in the end, you're still my friend,

At least we did intend for us to work,

We didn't break, we didn't burn,
    B7/D#
We had to learn, how to bend without the world caving in,
D   B7/D#   E*
   I had to learn what I got   and what I'm not and who I am.

Chorus 3

    E*   **Amaj⁷ E***
I won't give up on us,

           C♯m   **B(add⁴)**
Even if the skies get rough,

           Amaj⁷ E*
I'm giving you all my love,

           C♯m   **B(add⁴)**
I'm still looking up, I'm still looking up.

           Amaj⁷ E*
I won't give up on us,

           C♯m
God knows I'm tough e - nough.

           Amaj⁷ E*
We've got a lot to   learn,

           B(add⁴)
God knows we're worth it.

Chorus 4

    B(add⁴)   **Amaj⁷ E***
I won't give up on us,

           C♯m   **B(add⁴)**
Even if the skies get rough,

           Amaj⁷ E*
I'm giving you all my love,

           B(add⁴)
I'm still looking up.

I'll Stand By You

Words & Music by Chrissie Hynde, Tom Kelly & Billy Steinberg

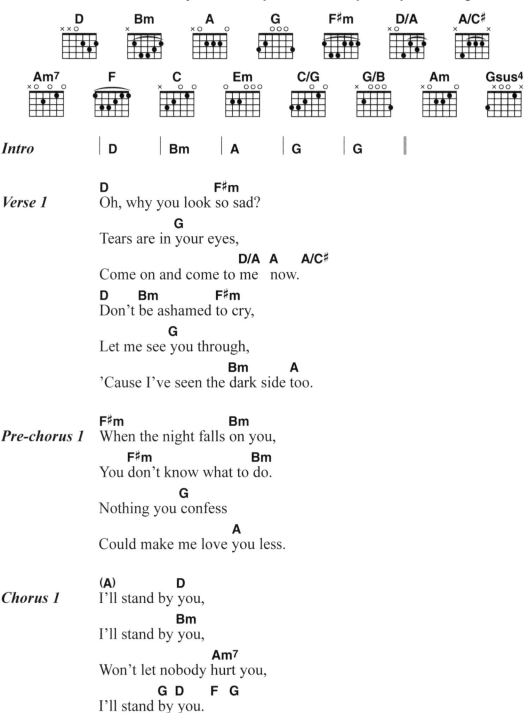

Intro | D | Bm | A | G | G ‖

Verse 1

    D   F#m
Oh, why you look so sad?
              G
Tears are in your eyes,
                           D/A A   A/C#
Come on and come to me   now.
    D   Bm   F#m
Don't be ashamed to cry,
              G
Let me see you through,
                       Bm   A
'Cause I've seen the dark side too.

Pre-chorus 1

    F#m   Bm
When the night falls on you,
          F#m   Bm
You don't know what to do.
              G
Nothing you confess
                A
Could make me love you less.

Chorus 1

    (A)   D
I'll stand by you,
          Bm
I'll stand by you,
                 Am7
Won't let nobody hurt you,
          G D   F G
I'll stand by you.

Verse 2

     C   Em
So if you're mad, get mad,

         F
Don't hold it all inside,

          C/G G/B
Come on and talk to me now.

     C Am   Em
Hey, what you got to hide?

         F
I get ang - ry too,

       Am G
Well, I'm a lot like you.

Pre-chorus 2

     (G) Em   Am
When you're standing at the crossroads,

        Em   Am
But don't know which path to choose,

         F
Let me come a - long,

            Gsus4
'Cause even if you're wrong

Chorus 2

     Gsus4 D
I'll stand by you,

       Bm
I'll stand by you,

         Am7
Won't let nobody hurt you,

       G D
I'll stand by you.

          Bm
Take me in, into your darkest hour,

         Am7
And I'll never desert you,

       G D
I'll stand by you.

Instrumental | D | D | Bm | Bm |

        | G | G | Bm | A | A ‖

Pre-chorus 3

     A F♯m
And when,

     Bm   F♯m   Bm
 When the night falls on you, baby,

                                       G
You're feeling all a - lone,

                               A
You won't be on your own.

Chorus 3

A/C#   **D**
  I'll stand by you,

           Bm
I'll stand by you,

                Am⁷
Won't let nobody hurt you,

         G D
I'll stand by you.

                 Bm
Take me in, into your darkest hour,

              Am⁷
And I'll never de - sert you,

         G D
I'll stand by you.

          Bm
I'll stand by you,

                Am⁷
Won't let nobody hurt you,

         G D   **Bm**
(I'll stand by you.) Yeah.

                Am⁷
(Won't let nobody hurt you.)

         G D
I'll stand by you,

          Bm
(I'll stand by you,)

                Am⁷
Won't let nobody hurt you,

         G D
(I'll stand by you.)

                                  Bm
Come on and on, baby in, into your darkest hour,

              Am⁷
And I'll never desert you,

         G D
I'll stand by you.

          Bm
I'll stand by you,

                Am⁷
Won't let nobody hurt you.   *To fade*

If I Had A Boat

Words & Music by James McMorrow

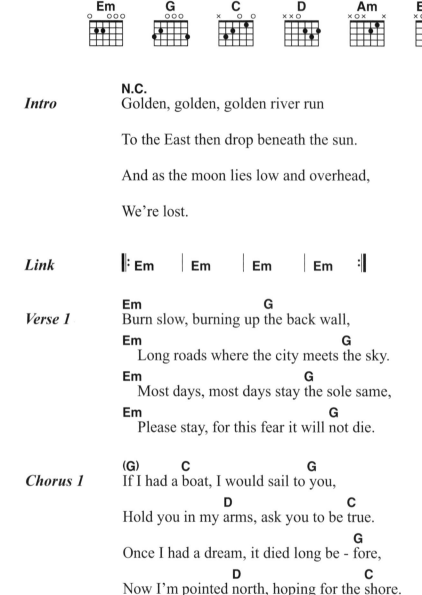

Intro

N.C.
Golden, golden, golden river run

To the East then drop beneath the sun.

And as the moon lies low and overhead,

We're lost.

Link

‖: Em | Em | Em | Em :‖

Verse 1

Em   G
Burn slow, burning up the back wall,
Em   G
   Long roads where the city meets the sky.
Em   G
   Most days, most days stay the sole same,
Em   G
   Please stay, for this fear it will not die.

Chorus 1

(G)   C   G
If I had a boat, I would sail to you,
               D   C
Hold you in my arms, ask you to be true.
                              G
Once I had a dream, it died long be - fore,
               D   C
Now I'm pointed north, hoping for the shore.

Verse 2

Em   **G**
Down low, down amongst the thorn rows,

Em   **G**
  Weeds grow through the lilies and the vine.

Em   **G**
  Birds play, try to find their   own way,

Em   **G**
  Soft clay on your feet and un - der mine.

Chorus 2   As Chorus 1

Bridge

(G)   **Am**   **Em/A**
Splitting at the seams, heaving at the brace.

                G/A   **Am**
Sheets all billow - ing, breaking of the day.

                      Em/A
Sea is not my friend and everyone   conspires,

              G/A   **Am**
Still I choose to swim, slip beneath the   tide.

            C   **G**
Once I had a dream, once I had a hope,

             D   **C**
That was yester - day, not so long a - go.

                     G
This is not the end, this is just the world,

             D   **C**
Such a foolish thing, such an honest girl.

Chorus 3

C   **G**
If I had a boat, I would sail to you,

             D   **C**
Hold you in my arms, ask you to be true.

                     G
Once I had a dream, it died long be - fore,

             D   **C**
Now I'm pointed north, hoping for   the shore.

If I Had A Gun...

Words & Music by Noel Gallagher

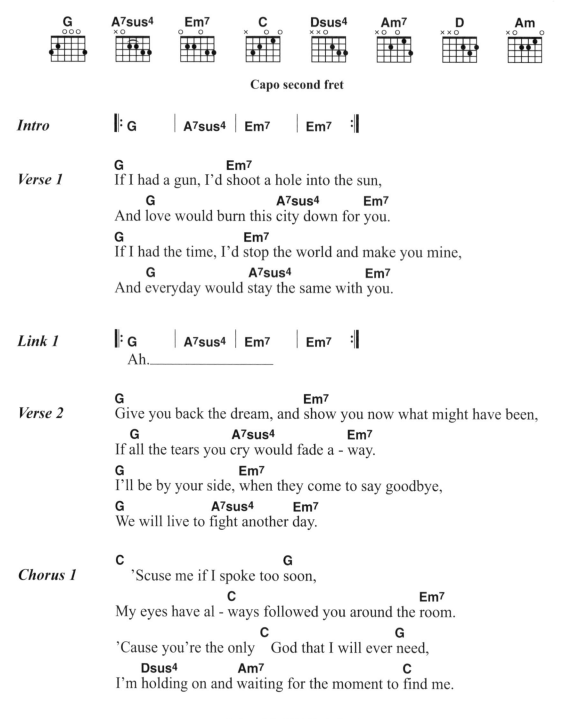

Capo second fret

Intro ‖: G | A7sus4 | Em7 | Em7 :‖

Verse 1
G   Em7
If I had a gun, I'd shoot a hole into the sun,
    G   A7sus4   Em7
And love would burn this city down for you.
G   Em7
If I had the time, I'd stop the world and make you mine,
    G   A7sus4   Em7
And everyday would stay the same with you.

Link 1 ‖: G | A7sus4 | Em7 | Em7 :‖
          Ah._____

Verse 2
G   Em7
Give you back the dream, and show you now what might have been,
    G   A7sus4   Em7
If all the tears you cry would fade a - way.
G   Em7
I'll be by your side, when they come to say goodbye,
G   A7sus4   Em7
We will live to fight another day.

Chorus 1
    C   G
    'Scuse me if I spoke too soon,
            C   Em7
My eyes have al - ways followed you around the room.
            C   G
'Cause you're the only   God that I will ever need,
    Dsus4   Am7   C
I'm holding on and waiting for the moment to find me.

Link 2 𝄆 G | A7sus4 | Em7 | Em7 𝄇 *Play 4 times*
Ah._____

Chorus 2
C   G
    Hope I didn't speak too soon,
                         C   Em7
My eyes have al - ways followed you around the room.
                       C   G
'Cause you're the only   God that I will ever need,
          Dsus4   Am7
I'm holding on and waiting for the moment
             C   G   D
For my heart to be unbroken by the   sea.____

Link 3 𝄆 Am | C | G | D 𝄇 *Play 4 times*
Ah,___   ah._____

Bridge
Am   C   G
    Let me fly you to the moon,
        D   Am   C   G
My eyes have al - ways followed you around the room.
          D   Am   C   G
'Cause you're the only   God that I will never need,
          D   Am   C
I'm holding on and waiting for the moment to find me.

Link 4 𝄆 G | A7sus4 | Em7 | Em7 𝄇
Ah._____

Verse 3
G   Em7
If I had a gun, I'd shoot a hole into the sun,
          G   A7sus4   Em7
And love would burn this city down for you.

I'm Looking Through You

Words & Music by John Lennon & Paul McCartney

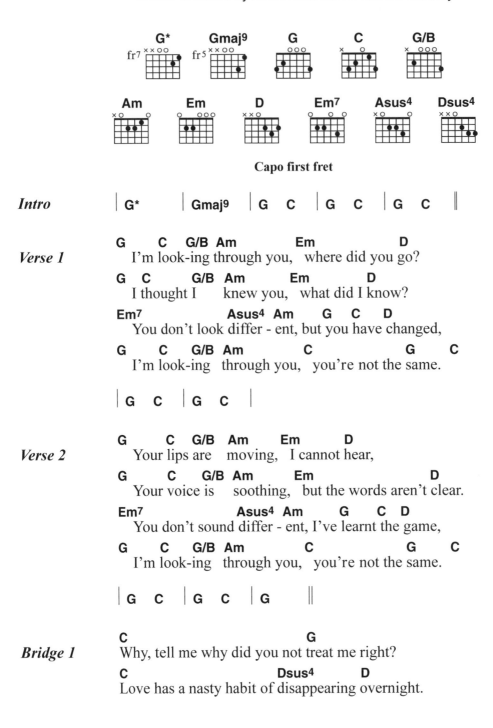

Capo first fret

Intro
| G* | Gmaj9 | G C | G C | G C ‖

Verse 1

G   C G/B Am   Em   D
  I'm look-ing through you,   where did you go?

G C   G/B Am   Em   D
  I thought I   knew you, what did I know?

Em7   Asus4 Am   G   C   D
  You don't look differ - ent, but you have changed,

G   C   G/B Am   C   G   C
  I'm look-ing through you, you're not the same.

| G C | G C |

Verse 2

G   C G/B Am   Em   D
  Your lips are   moving, I cannot hear,

G   C G/B Am   Em   D
  Your voice is   soothing, but the words aren't clear.

Em7   Asus4 Am   G   C D
  You don't sound differ - ent, I've learnt the game,

G   C   G/B Am   C   G   C
  I'm look-ing through you, you're not the same.

| G C | G C | G ‖

Bridge 1

C   G
Why, tell me why did you not treat me right?

C   Dsus4   D
Love has a nasty habit of disappearing overnight.

Verse 3

```
G        C       G/B  Am   Em              D
You're think - ing  of me   the same old way,
G     C    G/B  Am      Em        D
You were a  -  bove me,  but not today.
Em7          Asus4  Am   G    C    D
The only differ - ence is you're down there,
G     C     G/B  Am          C              G    C
I'm look - ing   through you   and you're nowhere.

| G   C  | G   C  | G        ||
```

Bridge 2

```
C                         G
Why, tell me why did you not treat me right?
C                    Dsus4        D
Love has a nasty habit of disappearing overnight.
```

Verse 4

```
G     C    G/B    Am      Em              D
I'm look - ing through you,   where did you go?
G  C       G/B  Am        Em          D
I thought I     knew you,   what did I know?
Em7              Asus4  Am    G    C    D
You don't look differ - ent, but you have changed,
G     C    G/B  Am          C            G    C
I'm look - ing   through you,   you're not the same.
```

Outro

```
G          C         G       C
Yeah! Well, baby, you've changed.
G    C          G      C
Ah,   I'm looking through you,
G    C           G          C   G   C
Yeah,  I'm looking through you.         Fade out
```

79

Iris

Words & Music by John Rzeznik

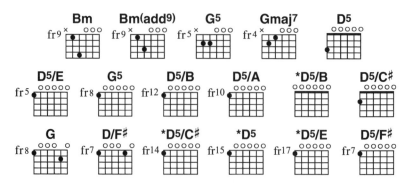

⑥ = B = **lower** ③ = D = **lower**

⑤ = D = **lower** ② = D = **higher**

④ = D = **same** ① = D = **lower**

Intro ‖: Bm │ Bm(add⁹) │ G5 │ Gmaj⁷ :‖

Verse 1
(Gmaj⁷) D5   D5/E   G5*
And I'd give up for - ever to touch you,
        D5/B   D5/A   G5*
'Cause I know that you feel me some - how.
            D5   D5/E   G5*
You're the closest to heaven that I'll ever be
        D5/B   D5/A   G5*
And I don't want to go home right now.

Verse 2
        D5   D5/E   G5*
And all I can taste is this moment,
        D5/B   D5/A   G5*
And all I can breathe is your life.
        D5   D5/E   G5*
And sooner or later it's over,
            D5/B   D5/A   G5*
I just don't want to miss you to - night.

Chorus 1

(G5) Bm   Bm(add9) G5
And I don't want the world to   see me,

          Bm   Bm(add9)   G5
'Cause I don't think that they'd under - stand.

        Bm   Bm(add9) G5
When everything's made to be broken,

        Bm   Bm(add9)   G5
I just want you to know who I am.

Link 1

‖: Bm | Bm(add9) | G5 | Gmaj7 :‖

Verse 3

(Gmaj7) D5   D5/E   G5*
And you can't fight the tears that ain't coming,

         D5/B   D5/A   G5*
Or the moment of truth in your lies.

        D5   D5/E   G5*
When everything feels like the movies,

         D5/B   D5/A   G5*
Yeah, you bleed just to know you're a - live.

Chorus 2   As Chorus 1

Interlude

‖: D5/B* | D5/C# | D5 | D5 |

| D5/B | D5/A | G5* | G5*   :‖

‖: Bm | Bm(add9) | G5 | Gmaj7 :‖ *Play 3 times*

| Bm | Bm(add9) ‖

| G | G | D/F# | D/F# |

| G | G | D5/B | D5/B |

| G | G | D/F# | D/F# |

| G | G | D5/B D5/C#* D5* | D5/E* D5* D5*/C#* |

| G | G | D/F# | D/F# |

| G | G | D5/B D5/A G5* | D5/F# D5/E D5 ‖

‖: D5/B* | D5/C# | D5 | D5 |

| D5/B | D5/A | G5* | G5*   :‖

Chorus 3   As Chorus 1

Chorus 4
(G5)   Bm   Bm(add9) G5
And I don't want the world to   see me,
          Bm   Bm(add9)   G5
'Cause I don't think that they'd under - stand.
          Bm   Bm(add9)   G5
When everything's made to be broken,
          Bm   Bm(add9)   G5
I just want you to know who I am.
          Bm   Bm(add9)   G5
I just want you to know who I am.
          Bm   Bm(add9)   G5
I just want you to know who I am.
          Bm   Bm(add9)   G5
I just want you to know who I am.
          Bm   Bm(add9)   (D5/B*)
I just want you to know who I am.

Outro   ‖: D5/B* | D5/C♯ | D5 | D5 |

            | D5/B | D5/A | G5* | G5*   :‖   *Repeat and fade*

Love Is A Losing Game

Words & Music by Amy Winehouse

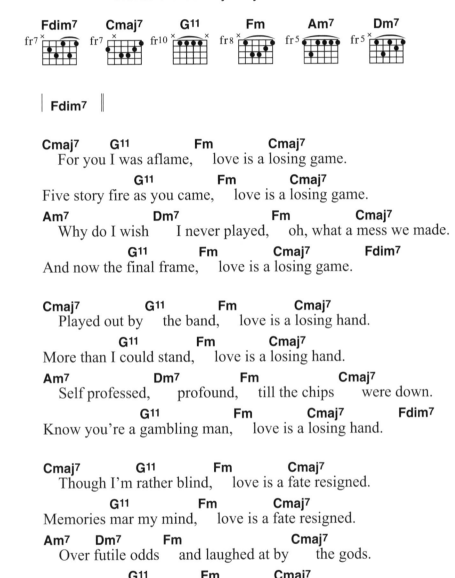

Intro | Fdim⁷ ‖

Verse 1

Cmaj7   G11   Fm   Cmaj7
   For you I was aflame,   love is a losing game.
            G11   Fm   Cmaj7
Five story fire as you came,   love is a losing game.
Am7   Dm7   Fm   Cmaj7
   Why do I wish   I never played,   oh, what a mess we made.
            G11   Fm   Cmaj7   Fdim7
And now the final frame,   love is a losing game.

Verse 2

Cmaj7   G11   Fm   Cmaj7
   Played out by   the band,   love is a losing hand.
        G11   Fm   Cmaj7
More than I could stand,   love is a losing hand.
Am7   Dm7   Fm   Cmaj7
   Self professed,   profound,   till the chips   were down.
            G11   Fm   Cmaj7   Fdim7
Know you're a gambling man,   love is a losing hand.

Verse 3

Cmaj7   G11   Fm   Cmaj7
   Though I'm rather blind,   love is a fate resigned.
        G11   Fm   Cmaj7
Memories mar my mind,   love is a fate resigned.
Am7   Dm7   Fm   Cmaj7
   Over futile odds   and laughed at by   the gods.
            G11   Fm   Cmaj7
And now the final frame,   love is a losing game.

It's Too Late

Words & Music by Carole King & Toni Stern

Am7   D   Gm7   Fmaj7   B♭maj7

Dm7   E7sus4   Em7   Gsus4   G   Cmaj7

Intro
| Am7 | D | Am7 | D |

Verse 1

Am7   D
Stayed in bed all morning just to pass the time,

Am7   D
  There's something wrong here, there can be no denying.

Am7   Gm7   Fmaj7
  One of us is changing or maybe we've just stopped trying.

Chorus 1

(Fmaj7) B♭maj7   Fmaj7
And it's too late baby, now it's too late,

      B♭maj7   Fmaj7
Though we really did try to make it.

B♭maj7   Fmaj7   Dm7
Something inside has died and I can't hide

           E7sus4
And I just can't fake it.

   Em7 Am7   D   Am7 D
Oh,____ no, no, no, no, no, no, no, no.

Verse 2

Am7   D
It used to be so easy living here with you,

Am7   D
You were light and breezy and I knew just what to do.

   Am7   Gm7   Fmaj7
Now you look so unhappy and I feel like a fool.

Chorus 2

(Fmaj7) B♭maj7   Fmaj7
And it's too late baby, now it's too late,

                B♭maj7   Fmaj7
Though we really did try to make it.

B♭maj7   Fmaj7   Dm7
Something inside has died and I can't hide

                        Gsus4
And I just can't fake it.

            G   (Cmaj7)
Oh,____ no, no.

Instrumental 1 | Cmaj7 | Fmaj7 | B♭maj7 | Am7 |

| Gm7 | Fmaj7 | Dm7 | E7sus4 Em7‖

‖: Am7 | D | Am7 | D :‖ *Play 4 times*

| Am7 | D | Am7 | D ‖

Verse 3

Am7   D
There'll be good times again for me and you,

            Am7   D
But we just can't stay together, don't you feel it too.

                Am7   Gm7   Fmaj7
Still, I'm glad for what we had   and how I once loved you.

Chorus 3

(Fmaj7) B♭maj7   Fmaj7
And it's too late baby, now it's too late,

                B♭maj7   Fmaj7
Though we really did try to make it.

B♭maj7   Fmaj7   Dm7
Something inside has died and I can't hide

                        Gsus4
And I just can't fake it.

            G   Cmaj7   Fmaj7
Oh,____ no, no, no, no, no.

Instrumental 2 | B♭maj7 | Am7 | Gm7 | Fmaj7 | Dm7 | Gsus4 G ‖

Outro

(G)   Cmaj7 Fmaj7
It's too late,   baby,

                Cmaj7   Fmaj7
It's too late now darling,

                Cmaj7
It's too late.

85

Just Breathe

Words & Music by Eddie Vedder

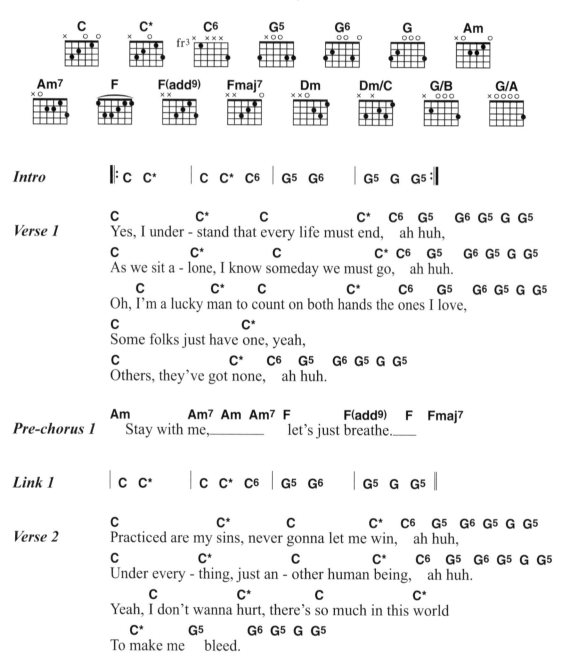

Intro ‖: C C* │ C C* C6 │ G5 G6 │ G5 G G5 :‖

Verse 1

C   C*   C   C*   C6   G5   G6 G5 G G5
Yes, I under - stand that every life must end,   ah huh,

C   C*   C   C* C6   G5   G6 G5 G G5
As we sit a - lone, I know someday we must go,   ah huh.

   C   C*   C   C*   C6   G5   G6 G5 G G5
Oh, I'm a lucky man to count on both hands the ones I love,

C   C*
Some folks just have one, yeah,

C   C*   C6   G5   G6 G5 G G5
Others, they've got none,   ah huh.

Pre-chorus 1

Am   Am7 Am Am7 F   F(add9)   F Fmaj7
Stay with me,_____   let's just breathe.____

Link 1 │ C C* │ C C* C6 │ G5 G6 │ G5 G G5 ‖

Verse 2

C   C*   C   C*   C6   G5   G6 G5 G G5
Practiced are my sins, never gonna let me win,   ah huh,

C   C*   C   C*   C6   G5   G6 G5 G G5
Under every - thing, just an - other human being,   ah huh.

    C   C*   C   C*
Yeah, I don't wanna hurt, there's so much in this world

  C*   G5   G6 G5 G G5
To make me   bleed.

Pre-chorus 2

    Am   Am⁷ Am Am⁷   F   F(add9) F Fmaj⁷

Stay with me,_____ you're all I see._____

Chorus 1

G   Dm

Did I say that I need you?

G   Dm

Did I say that I want you?

F   Am

Oh, if I didn't I'm a fool you see,

Dm   Dm/C   G/B

No one knows this more than me

   G G/A G/B

As I come clean.

Verse 3

C   C*   C   C* C⁶   G⁵ G⁶ G⁵ G G⁵

I wonder every - day as I look upon your face,   ah huh,

C   C*   C   C* C⁶   G⁵ G⁶ G⁵ G G⁵

Everything you gave and nothing you would take,   ah huh.

Pre-chorus 3

Am   Am⁷ Am Am⁷   F   F(add9) F Fmaj⁷

Nothing you would take,_____ every - thing you gave.

Chorus 2

G   Dm

Did I say that I need you?

    G   Dm

Oh,___ did I say that I want you?

F   Am

Oh, if I didn't I'm a fool you see,

Dm   Dm/C   G/B

No one knows this more than me,

   G G/A G/B   (C)

As I come clean, ah, ah.

Link 2

‖: C C* | C C* C⁶ | G⁵ G⁶ | G⁵ G G⁵ :‖

Outro

Am   Am⁷ Am Am⁷   F   F(add9) F

Nothing you would take,_____ every - thing you gave._____

Am   Am⁷ Am Am⁷   F   F(add9)   F

Hold me till I die,___   meet you on the other side.

The Killing Of Georgie (Part I and II)

Words & Music by Rod Stewart

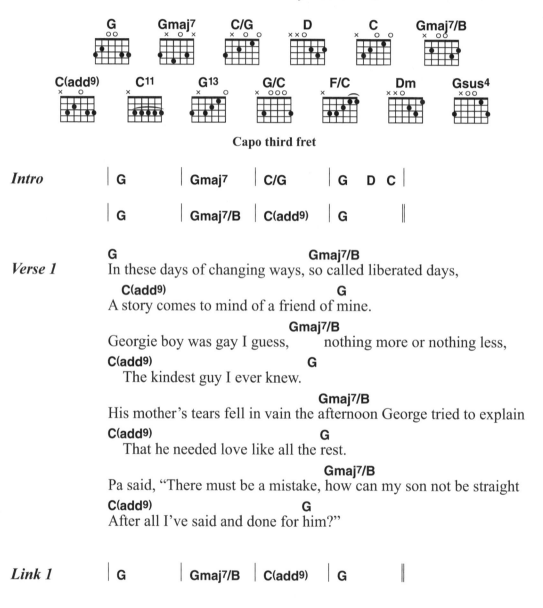

Capo third fret

Intro

| G | Gmaj7 | C/G | G D C |
| G | Gmaj7/B | C(add9) | G ‖ |

Verse 1

    G   Gmaj7/B
In these days of changing ways, so called liberated days,

    C(add9)   G
A story comes to mind of a friend of mine.

                                 Gmaj7/B
Georgie boy was gay I guess,   nothing more or nothing less,

C(add9)   G
    The kindest guy I ever knew.

                               Gmaj7/B
His mother's tears fell in vain the afternoon George tried to explain

C(add9)   G
    That he needed love like all the rest.

                            Gmaj7/B
Pa said, "There must be a mistake, how can my son not be straight

C(add9)   G
After all I've said and done for him?"

Link 1

| G | Gmaj7/B | C(add9) | G ‖ |

Verse 2

G   Gmaj7/B
Leaving home on a Greyhound bus, cast out by the ones he loves,
  C(add9)   G
A victim of these gay days it seems.

Link 2 | G | Gmaj7/B | C(add9) | G   ‖

Verse 3

G   Gmaj7/B
Georgie went to New York town where he quickly settled down
  C(add9)   G
And soon became the toast of the Great White Way.
          Gmaj7/B
Accepted by Manhattan's elite in all the places that were chic
  C(add9)   G
No party was complete without George.
           Gmaj7/B
Along the boulevards he'd cruise and all the old queens blew a fuse,
C(add9)   G
Everybody loved Georgie boy.

Link 3 | G | Gmaj7/B | C(add9) | G   ‖

Verse 4

G   Gmaj7/B
The last time I saw George alive was in the summer of seventy-five,
  C(add9)   G
He said he was in love, I said I'm pleased.
         Gmaj7/B
George attended the opening night of another Broadway hype,
  C(add9)   G
But split before the final curtain fell.
         Gmaj7/B
Deciding to take a short cut home, arm in arm they meant no wrong,
  C(add9)   G
A gentle breeze blew down Fifth Ave - nue.

Link 4 | G | Gmaj7/B | C(add9) | G   ‖

Verse 5

G   Gmaj7/B
Out of a darkened side street came a New Jersey gang with just one aim,

  C(add9)   G
To roll some innocent passer - by.

        Gmaj7/B
There ensued a fearful fight, screams rang out in the night,

C(add9)   G
Georgie's head hit a sidewalk corner - stone.

         Gmaj7/B
A leather kid, a switchblade knife, he did not intend to take his life,

  C(add9)   G
He just pushed his luck a little too far that night.

        Gmaj7/B
The sight of blood dispersed the gang a crowd gathered, the police came,

  C(add9)   G
An ambulance screamed to a halt on Fifty-Third and Third.

Link 5 | G | Gmaj7/B | C(add9) | G   ‖

Verse 6

G   Gmaj7/B
Georgie's life ended there, but I ask, "Who really cares?"

C(add9)   G
George once said to me and I quote:

        Gmaj7/B
He said, "Never wait or hesitate, get in kid before it's too late,

C(add9)   G
You may never get another chance.

         Gmaj7/B
'Cause youth's a mask but it don't last, live it long and live it fast."

C(add9)   G
Georgie was a friend of mine.

Link 6 | G | Gmaj7/B | C(add9) | G |

       | G | Gmaj7/B | C(add9) | G |
                   (slow down)

       | C11 | G13 ‖
       (freely)

Outro
(Part II)

| C | | G/C F/C | C | |

C   G/C   F/C   Dm Gsus4   C
Oh, Geor - gie   stay,   don't go a - way,

C   G/C F/C   Dm Gsus4   C
Geor - gie please stay,   you take our breath a - way.

C   G/C   F/C   Dm Gsus4   C
Oh, Geor - gie   stay,   don't go a - way,

C   G/C F/C   Dm Gsus4   C
Geor - gie please stay,   you take our breath a - way.

C G/C   F/C   Dm Gsus4   C
Oh, Geor - gie   stay,   don't go a - way,

C   G/C   F/C Dm   Gsus4   C
Georgie,   Geor - gie please stay,   you take our breath a - way.

C   G/C   F/C   Dm
Oh, Geor - gie   stay.   *To fade*

Kooks

Words & Music by David Bowie

Intro | D | D | Am | Am ‖

Chorus 1

D
   Will you stay in our lovers' story?

D⁷sus2
   If you stay you won't be sorry,

       C   **G/B**
'Cause we believe in you.

Am   **D**   **Am**   **D**
Soon you'll grow so take a chance

           Am   **D**   **Am**   **F**   **C**
With a couple of kooks hung up on ro - manc - ing.

Chorus 2   As Chorus 1

Link 1 | D | D | Am | Am ‖

Verse 1

D   **A**
We bought a lot of things to keep you warm and dry

         D   **A**
And a funny old crib on which the paint won't dry.

D   **G**
   I bought you a pair of shoes,

    D   **G**
A trumpet you can blow and a book of rules

     D   **A**
On what to say to people when they pick on you,

'Cause if you stay with us you're gonna be pretty kookie too.

Chorus 3   As Chorus 1

Link 2   ‖ D   │ D   │ Am   │ Am   ‖

           D   A
Verse 2   And if you ever have to go to school,
               D   A
           Re - member how they messed up this old fool.
           D   G
           Don't pick fights with the bullies or the cads,
                       D   G
           'Cause I'm not much cop at punching other people's dads.
           D   A
               And if the homework brings you down,

           Then we'll throw it on the fire and take the car downtown.

                   E
Chorus 4   ‖: Will you stay in our lovers' story?

           If you stay you won't be sorry,
                   D   A/C♯
           'Cause we believe in you.
           Bm   E   Bm   E
           Soon you'll grow so take a chance
               Bm   E   Bm   G   D
           With a couple of kooks hung up on ro - manc - ing. :‖   *Repeat to fade*

Little Black Submarines

Words & Music by Brian Burton, Daniel Auerbach & Patrick Carney

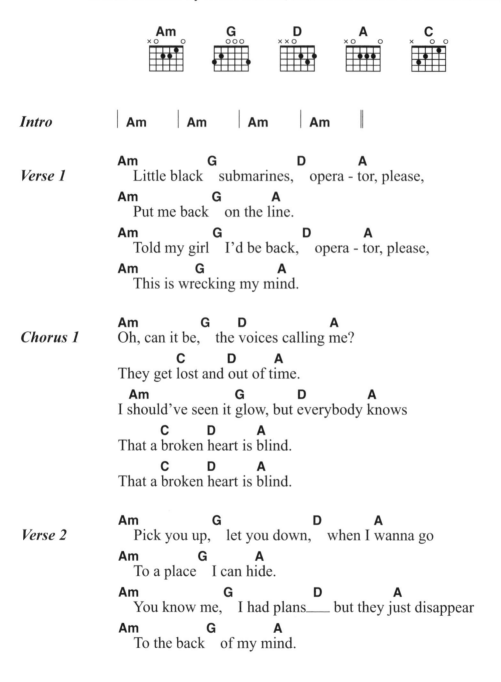

Intro | Am | Am | Am | Am ‖

Verse 1
```
Am            G              D        A
Little black   submarines,   opera - tor, please,
Am            G        A
Put me back    on the line.
Am            G          D        A
Told my girl   I'd be back,   opera - tor, please,
Am           G          A
This is wrecking my mind.
```

Chorus 1
```
Am            G    D          A
Oh, can it be,   the voices calling me?
             C        D      A
They get lost and out of time.
  Am              G        D          A
I should've seen it glow, but everybody knows
        C      D      A
That a broken heart is blind.
        C      D      A
That a broken heart is blind.
```

Verse 2
```
Am             G            D        A
Pick you up,    let you down,   when I wanna go
Am           G        A
To a place    I can hide.
Am             G            D           A
You know me,    I had plans___ but they just disappear
Am           G          A
To the back    of my mind.
```

Chorus 2   As Chorus 1

Instrumental 1 | Am | G | D | A ‖

‖: Am | G | A | A :‖ *Play 3 times*

Verse 3
Am   G   D   A
Treasure maps   for a dream,   opera - tor, please,
Am   G   A
Call me back   when it's time.
Am   G   D   A
Stolen friends   and disease,   opera - tor, please
Am   G   A
Pass me back   to my mind.

Chorus 3
Am   G   D   A
Oh, can it be,   the voices calling me?
            C   D   A
They get lost and out of time.
    Am   G   D   A
I should've seen it glow, but everybody knows
        C   D   A
That a broken heart is blind.
        C   D   A
That a broken heart is blind.
        C   D   A
That a broken heart is blind.

Instrumental 2 | Am | G | D | A ‖

‖: Am | G | A | A :‖ *Play 4 times*

| A ‖

Living Doll

Words & Music by Lionel Bart

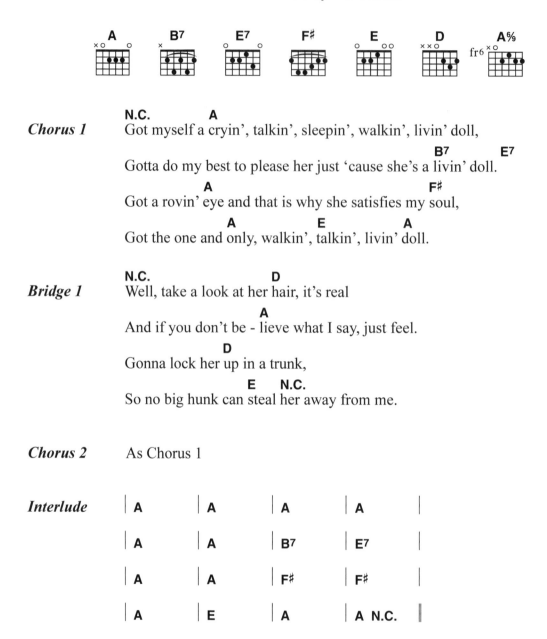

Chorus 1

    N.C.   A
Got myself a cryin', talkin', sleepin', walkin', livin' doll,

                              B7   E7
Gotta do my best to please her just 'cause she's a livin' doll.

           A   F♯
Got a rovin' eye and that is why she satisfies my soul,

            A   E   A
Got the one and only, walkin', talkin', livin' doll.

Bridge 1

    N.C.   D
Well, take a look at her hair, it's real

                    A
And if you don't be - lieve what I say, just feel.

                D
Gonna lock her up in a trunk,

                 E   N.C.
So no big hunk can steal her away from me.

Chorus 2   As Chorus 1

Interlude

A	A	A	A	
A	A	B7	E7	
A	A	F♯	F♯	
A	E	A	A N.C.	

Bridge 2   As Bridge 1

      N.C.   **A**
Chorus 3 Got myself a cryin', talkin', sleepin', walkin', livin' doll,

                    B7   **E7**
     Gotta do my best to please her just 'cause she's a livin' doll.

         A   **F♯**
     Got a rovin' eye and that is why she satisfies my soul,

           A   **E** **N.C.** **A⁶⁄₉**
     Got the one and only, walkin', talkin', livin' doll.

The Look Of Love
from CASINO ROYALE

Words by Hal David
Music by Burt Bacharach

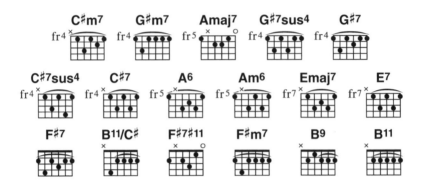

Verse 1

      C#m7   G#m7
The look of love is in your eyes,

  Amaj7   G#7sus4 G#7
A look your smile can't dis - guise.

      C#m7   C#7sus4 C#7
The look of love,

A6   Am6   Emaj7 E7
  It's saying so much more than just words could ever say,

Amaj7   G#7sus4   C#m7 F#7
  And what my heart has heard, well, it takes my breath a - way.

Bridge 1

  (F#7) Emaj7   B11/C#
I can hardly wait to hold you, feel my arms around you.

How long I have waited,

Emaj7   B11/C#
Waited just to love you, now that I have found you.

Verse 2

(B11/C♯)   C♯m7   G♯m7
You've got the look of love, it's on your face,

   Amaj7   G♯7sus4 G♯7
A look that time can't e - rase.

   C♯m7   C♯7sus4 C♯7
Be mine to - night,

A6   Am6   Emaj7 E7
  Let this be just the start of so many nights like this,

Amaj7   G♯7sus4   C♯m7 F♯7
  Let's take a lover's vow and then seal it with a kiss.

Bridge 2

(F♯7) Emaj7   B11/C♯
I can hardly wait to hold you, feel my arms around you.

How long I have waited,

Emaj7   B11/C♯
Waited just to love you, now that I have found you,

       C♯m7   F♯7♯11
Don't ever go, don't ever go,

F♯m7 B9   Emaj7
    I love you so.

Instrumental

C♯m7	C♯m7	G♯m7	G♯m7	
Amaj7	Amaj7	G♯7sus4	G♯7	
C♯m7	C♯7sus4 C♯7	A6	Am6	
Am6	Emaj7 E7	Amaj7	Amaj7	
G♯7sus4	C♯m7 F♯7		
Emaj7	B11/C♯	B11/C♯	B11/C♯	
Emaj7	B11/C♯	B11/C♯	
C♯m7	C♯m7	F♯7♯11	F♯7♯11	
F♯m7	F♯m7 B11	Emaj7	N.C.	
C♯m7	C♯m7	G♯m7	G♯m7	
Amaj7	Amaj7	G♯7sus4	G♯7	
C♯m7	C♯7sus4 C♯7 ‖	*To fade*

99

Love

Words & Music by John Lennon

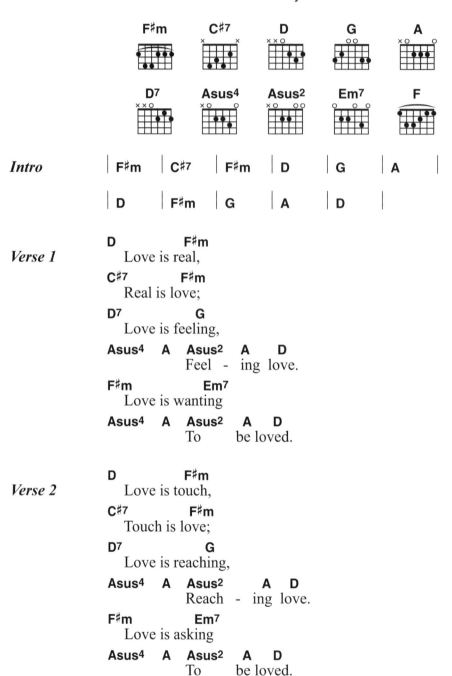

Intro

| F♯m | C♯7 | F♯m | D | G | A |

| D | F♯m | G | A | D |

Verse 1

D   F♯m
  Love is real,

C♯7   F♯m
  Real is love;

D7   G
  Love is feeling,

Asus4   A   Asus2   A   D
       Feel - ing love.

F♯m   Em7
  Love is wanting

Asus4   A   Asus2   A   D
       To   be loved.

Verse 2

D   F♯m
  Love is touch,

C♯7   F♯m
  Touch is love;

D7   G
  Love is reaching,

Asus4   A   Asus2   A   D
       Reach - ing love.

F♯m   Em7
  Love is asking

Asus4   A   Asus2   A   D
       To   be loved.

Middle

          F
Love is you,

G   **D**
  You and me,

         Em7
Love is knowing

G   **D**
  We can be;

Verse 3

D   **F♯m**
  Love is free,

C♯7   **F♯m**
  Free is love;

D7   **G**
  Love is living,

Asus4 **A** **Asus2** **A** **D**
      Liv - ing love.

F♯m   **Em7**
  Love is needing

Asus4 **A** **Asus2** **A** **D**
      To   be loved.

Outro

F♯m	**C♯7**	**F♯m**	**D**	**G**	**A**	
D	**F♯m**	**G**	**A**	**D**	**D**	

Love Minus Zero/No Limit

Words & Music by Bob Dylan

C   G/D   F/C   Dm   Dm7   G7/D

Capo fourth fret

⑥ = C   ③ = G
⑤ = A   ② = B
④ = D   ① = E

Intro | C | C ‖

Verse 1

C
My love, she speaks like silence
G/D F/C   C
   Without ideals or violence
G/D F/C   C
   She doesn't have to say she's faithful
     Dm   Dm7   G7/D
Yet she's true, like ice, like fire
C
People carry roses
G/D F/C   C
   Make promises by the hours,
G/D F/C   C
   My love she laughs like the flowers
    Dm   F/C   C
Valen - tines   can't buy her

Verse 2

C
In the dime stores and bus stations
G/D F/C   C
   People talk of situ - ations
G/D F/C   C
   Read books, repeat quo - tations
    Dm   Dm7   G7/D
Draw con - clusions on the wall
C
Some speak of the future
G/D F/C   C
   My love she speaks softly

cont.

        G/D   **F/C**   **C**
           She knows there's no success like failure
                   Dm   **F/C**   **C**
        And that failure's no suc - cess at all

Verse 3

        C
        The cloak and dagger dangles
        G/D F/C   **C**
          Madams light the candles
        G/D F/C   **C**
          In ceremonies of the horsemen
                   Dm   **Dm7**   **G7/D**
        Even the pawn must hold a grudge
        C
        Statues made of matchsticks
        G/D F/C   **C**
          Crumble into one an - other
        G/D   **F/C**   **C**
         My love winks, she does not bother
            Dm   **F/C**   **C**
        She knows too much to argue or to judge

Instrumental | **C** | **C**   **G/D** | **F/C** | **C**   **G/D** |

                 | **F/C** | **C** | **F/C** **G/D** | **C** | **C** ||

Verse 4

        C
        The bridge at midnight trembles
        G/D F/C   **C**
          The country doctor rambles
        G/D F/C   **C**
          Bankers' nieces seek per - fection
                   Dm   **Dm7**   **G7/D**
        Expecting all the gifts that wise men bring
          C
        The wind howls like a hammer
        G/D F/C   **C**
          The night blows cold and rainy
        G/D F/C   **C**
          My love she's like some raven
            Dm   **F/C**   **C**
        At my window with a broken wing

Outro | **F/C** | **C** | **F/C** | **C** || *To fade*

Love Of My Life

Words & Music by Freddie Mercury

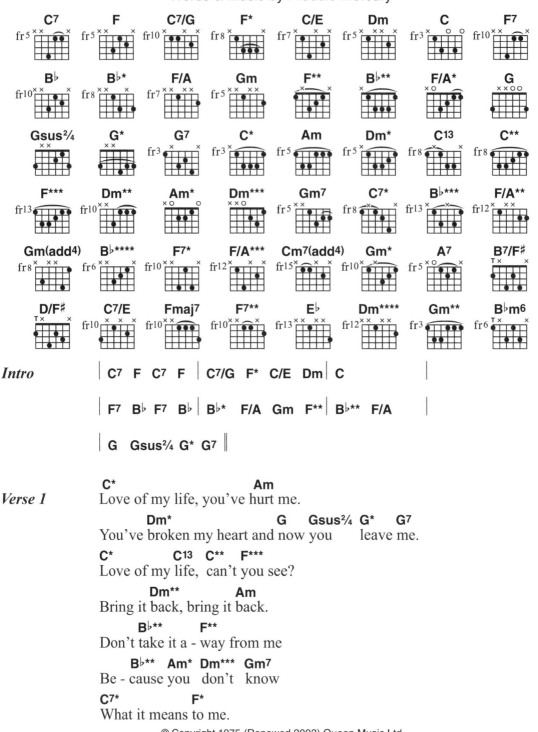

Intro

| C7 F C7 F | C7/G F* C/E Dm | C |

| F7 B♭ F7 B♭ | B♭* F/A Gm F** | B♭** F/A |

| G Gsus²/₄ G* G7 ‖

Verse 1

    C*   Am
Love of my life, you've hurt me.
       Dm*   G   Gsus²/₄ G*   G7
You've broken my heart and now you   leave me.
C*   C13 C** F***
Love of my life, can't you see?
       Dm**   Am
Bring it back, bring it back.
      B♭**   F**
Don't take it a - way from me
      B♭** Am* Dm*** Gm7
Be - cause you don't know
C7*   F*
What it means to me.

Link 1 ‖ Bb*** F/A** Gm(add4) F* | Bb**** F | G Gsus²⁄₄ G* G7 ‖

Verse 2

C*   Am
Love of my life, don't leave me.

      Dm*   G   Gsus²⁄₄ G* G7
You've taken my love and now de   -   sert me.

C*   C13 C**   F***
Love of my life, can't you see?

      Dm**   Am
Bring it back, bring it back.

      Bb**   F**
Don't take it away___ from me

      Bb** Am* Dm*** Gm7
Be - cause you   don't   know

C7*   F
What it means to me.

Link 2 | C7 F C7 F | F7* Bb |

‖ Bb*** F/A*** Gm(add4) Bb****| F/A*** Gm* F*** ‖

Bridge

Dm*   Am*
You will remember when this is blown over,

      Bb**   F**
And everything's all by the way.

A7 Dm*   Am   B7/F♯
     When I grow older, I will be there at your side

            D/F♯   Gm7
To remind___ you how I still love you.

C*   F
I still love you.

Guitar solo | C7 F C7 F | C7/G F* C/E Dm | C** |

| F7 B♭ F7 B♭ | B♭*** F/A***   C7/E |

| B♭**** C7 F C/E F* B♭*** F/A*** | F7 B♭ F7 B♭ |

$\frac{2}{4}$| B♭***   F/A*** $\frac{4}{4}$| Fmaj7 B♭* B♭**** F* |

| B♭*** F/A*** Gm(add4) F* F7** B♭* E♭ Dm**** |

| Gm* | F**** | C** | C**   ‖

Outro

Dm*   **Am**
Back, hurry back.
        B♭**   **F****
Please bring it back home_____ to me
      B♭**   **Am* Dm* Gm7**
Be - cause you   don't know
C7*   **F*****
What it means to me.
Dm**   **Am**
Love of my life, love of my life.
Gm** B♭m6   **F**
(Ooh, ooh.)

Me And Bobby McGee

Words & Music by Kris Kristofferson & Fred Foster

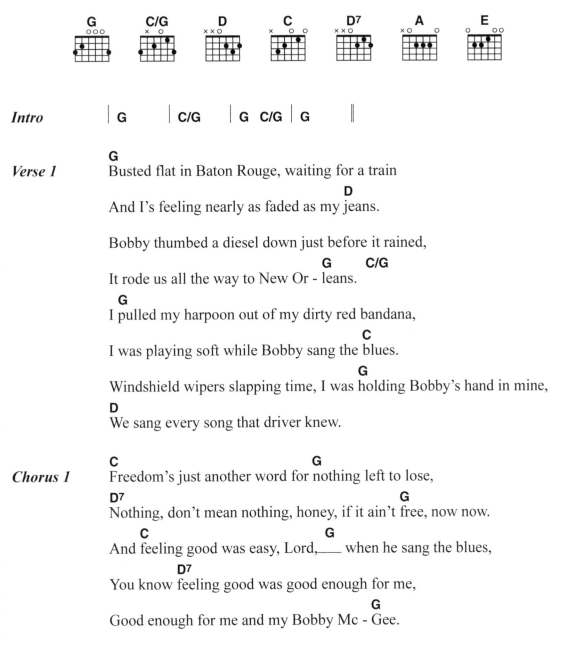

Intro | G | C/G | G C/G | G   ‖

Verse 1

G
Busted flat in Baton Rouge, waiting for a train
                                                    D
And I's feeling nearly as faded as my jeans.

Bobby thumbed a diesel down just before it rained,
                                  G   C/G
It rode us all the way to New Or - leans.
  G
I pulled my harpoon out of my dirty red bandana,
                                        C
I was playing soft while Bobby sang the blues.
                                        G
Windshield wipers slapping time, I was holding Bobby's hand in mine,
D
We sang every song that driver knew.

Chorus 1

  C   G
Freedom's just another word for nothing left to lose,
D7   G
Nothing, don't mean nothing, honey, if it ain't free, now now.
      C   G
And feeling good was easy, Lord,___ when he sang the blues,
          D7
You know feeling good was good enough for me,
                                        G
Good enough for me and my Bobby Mc - Gee.

Verse 2

        A
From the Kentucky coal mines to the California sun,

               E
Hey, Bobby shared the secrets of my soul.

Through all kinds of weather, through everything that we done,

         A
Hey, Bobby baby kept me from the cold.

One day up near Salinas, Lord, I let him slip away,

             D
He's looking for that home and I hope he finds it,

           A
But I'd trade all of my tomorrows for one single yesterday

   E
To be holding Bobby's body next to mine.

Chorus 2

  D   **A**
Freedom's just another word for   nothing left to lose,

E   **A**
Nothing, that's all that Bobby left   me, yeah.

   D   **A**
But feeling good was easy, Lord,___ when he sang the blues,

    E
Hey, feeling good was good enough for me, hmm hmm,

                A
Good enough for me and my Bobby Mc - Gee.

Verse 3

  A
La la la, la la la la, la la la, la la la la

            E
La la la la la Bobby Mc - Gee.

La la la la la, la la la la la

           A
La la la la la, Bobby Mc - Gee, la.

La la la, la la la la la la,

                                      E
La la la la la la la la la, hey now Bobby now, Bobby Mc - Gee yeah.

Na na na na na na na na, na na na na na na na na na na na

             A
Hey now Bobby now, Bobby Mc - Gee, yeah.

Verse 4

A
Lord, I'm calling my lover, calling my man,

I said I'm calling my lover just the best I can,

                                                                   E
C'mon, where is Bobby now, where is Bobby Mc - Gee, yeah.

Lordy, Lordy, Lordy, Lordy, Lordy, Lordy, Lordy, Lord.

                             A
Hey, hey, hey, Bobby Mc - Gee, Lord.

Instrumental

‖: A | A | A | A |

| A | A | E | E |

| E | E | E | E |

| E | E | A | A   :‖

‖: A | A | A | A |

| A | A | E | E   :‖

Outro

E
Lordy, Lordy, Lordy, Lordy, Lordy, Lordy, Lordy, Lord.

                             A
Hey, hey, hey, Bobby Mc - Gee.

Lucky Now

Words & Music by Ryan Adams

Intro | C | Csus⁴ C | C | G/B C ‖

Verse 1

C   Csus⁴ C
I don't remember, were we wild and young?
              G/B   C
All that's faded into memo - ry.
              Csus⁴ C
I feel like somebody I don't know,
              G/B   C
Are we really who we used to be,
              G/B   C
Am I really who I was?___

Chorus 1

Fmaj¹³   Am⁷
The lights will draw you in
       Fmaj¹³   C   G
And the dark will bring you down.___
       Fmaj¹³   Am⁷
And the night will break your heart,
                    G   Gsus⁴ G
But only if you're lucky now.

Link 1 | C | Csus⁴ C | C | G/B C ‖

Verse 2

C   Csus4 C
Waiting outside while you find your keys,

          G/B   C
Like bags of trash in the blackening snow.

      Csus4 C
City of neon and toes that freeze,

           G/B   C
We've got nothing and no - where to go,

         G/B   C
We've got nothing and nowhere.

Chorus 2

(C)   Fmaj13   Am7
And the lights will draw you in

    Fmaj13   C G
And the dark will take you down.____

    Fmaj13   Am7
And the night will break your heart,

        G   Gsus4 G
But only if you're lucky now.

Chorus 3

(G)   Fmaj13   Am7
And if the lights draw you in

    Fmaj13   C G
And the dark can take you down,____

   Fmaj13   Am7
Then love can mend your heart,

       G   Gsus4 G
But only if you're lucky now.

Instrumental

‖: Fmaj7 G | Am | Fmaj7 G | Am |

| Fmaj7 G | Am | G | G   :‖

Link 2

| C | Csus4 C | C | G/B C ‖

Verse 3   As Verse 1

Moving

Words & Music by Gareth Coombes, Daniel Goffey,
Michael Quinn & Robert Coombes

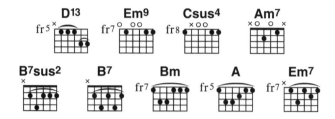

Verse 1

D13   Em9
Moving, just keep moving till I don't know what's sane.

Csus4   Am7   B7sus2 B7
 I've been moving so long, the days all feel the same.＿＿

D13   Em9
Moving, just keep moving, well, I don't know why I stay.

Csus4   Am7   B7sus2 B7
 No ties to bind me,＿＿ no reasons to re - main.＿＿

Chorus 1

(Bdim) Bm   A   Em7   Bm   A   Em7
Got a low, low feeling a - round me and a stone cold feeling in - side.

        Bm   A   Em7   Bm A Em7
And I just can't stop messing my mind up or wasting my time.＿＿＿

        Bm   A   Em7   Bm   A   Em7
There's a low, low feeling a - round me and a stone cold feeling in - side

        Bm   A   Em7   B7sus2 B7
I've got to find some - body to help me, I'll keep you in mind.＿＿

Verse 2

(B7)   **D13**   **Em9**
So I'll keep moving, just keep moving, well, I don't know who I am.

Csus4   **Am7**   **B7sus2 B7**
  No need to follow,   there's no way back a - gain.____

D13   **Em9**
Moving, keep on moving where I feel I'm home a - gain.

Csus4   **Am7**   **B7sus2 B7**
  And when it's over____ I'll see you a - gain.____

Chorus 2   As Chorus 1

Outro   ‖: **D13** | **D13** | **D13** | **D13** |

               | **Em9** | **Em9** | **Em9** | **Em9** |

               | **Csus2** | **Csus2** | **Am7** | **Am7** |

               | **B7sus2** | **B7sus2** | **B7** | **B7** :‖ *Repeat and fade*

The Only Living Boy In New York

Words & Music by Paul Simon

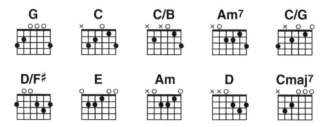

Capo fourth fret

Intro | G   ‖

Verse 1

G   C
Tom, get your plane right on   time,

G   C
I know your part'll go   fine.

G   C   C/B Am⁷   C/G
Fly down to Mexico.‒‒‒‒‒

D/F♯   C
Da-n-da-da-n-da-n-da-da and here I am,

    G   C   G
The only living boy in New York.

Verse 2

G   C
I get the news I need on the weather report.

        G   C
Oh, I can gather all the news I need on the weather report.

G   C C/B Am⁷ C/G
Hey, I've got nothing to do to - day   but smile.

D/F♯   C
   Da-n-da-da-n-da-da-n-da-da and here I am

    G   C   E
The only living boy in New York.

Bridge

```
Am                    D                      G
Half of the time we're gone but we don't know where,
                           C
And we don't know where.
G   C   G   C
(Ah,_____
G    C  C/B  Am7  C/G  D/F♯
Ah,_____
Cmaj7  G    C    E
Here  I  am.)___
Am                    D                      G
Half of the time we're gone but we don't know where,
                           C
And we don't know   where.
```

Verse 3

```
G                         C
 Tom, get your plane right on   time.
G                         C
I know you've been eager to fly now.
G                   C    C/B   Am7  C/G
Hey let your honesty shine, shine, shine, now,
D/F♯
Da-n-da-da-n-da-da-n-da-da-da-da-da,
        Cmaj7
Like it shines on me,
    G                    C
The only living boy in New York,
    G                    C
The only living boy in New York.
```

Coda

```
| G       | G       | G      | C   E | Am  D | G   C   |
G    C  G   C
(Ah,_____
G    C  C/B  Am7  C/G  D/F♯
Ah._____
Cmaj7  G    C
Here I   am.) _____
G    C  G   C
(Ah,_____
G    C  C/B  Am7  C/G  D/F♯
Ah._____
Cmaj7  G    C
Here I am.)____
```

```
| G       ||
```

115

New Kid In Town

Words & Music by Don Henley, Glenn Frey & John David Souther

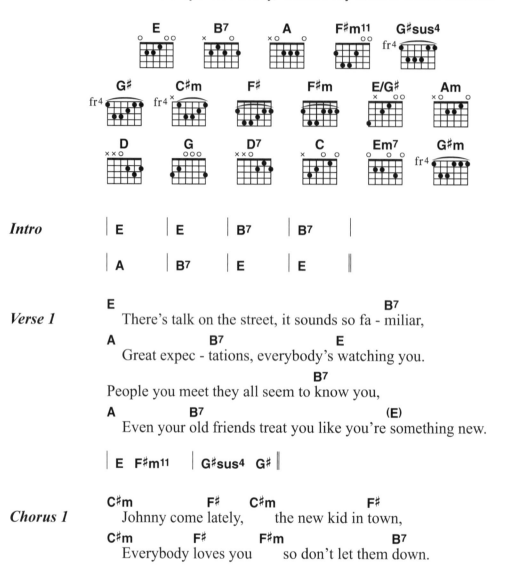

Intro

| E | E | B7 | B7 | |

| A | B7 | E | E | |

Verse 1

E   B7
There's talk on the street, it sounds so fa - miliar,

A   B7   E
Great expec - tations, everybody's watching you.

                                B7
People you meet they all seem to know you,

A   B7   (E)
Even your old friends treat you like you're something new.

| E F#m11 | G#sus4 G# |

Chorus 1

C#m   F#   C#m   F#
Johnny come lately,   the new kid in town,

C#m   F#   F#m   B7
Everybody loves you   so don't let them down.

Verse 2

E   B7
You look in her eyes, the music be - gins to play,

A   B7   E
Hopeless ro - mantics, here we go a - gain.

             B7
But after a while you're looking the other way,

     A   B7   (E)
It's those restless hearts that never mend.

‖ E F♯m11 | G♯sus4 G♯ ‖

Chorus 2

(G♯) C♯m   F♯ C♯m   F♯
Oh, Johnny come lately, the new kid in town,

C♯m   F♯   F♯m   B7
Will she still love you when you're not a - round?

Instrumental | E | E | B7 | B7 |

      | A | B7 | E | A E/G♯ F♯m E ‖

Bridge

B7   E
There's so many things you should have told her,

B7   C♯m F♯
But night after night you're willing to hold her, just hold her.

Am   D
Tears on your shoulder.

Verse 3

G   Am D7 Am D7
There's talk on the street, it's there to re - mind you

C   D7   G
That it doesn't really matter which side you're on.

              Am D7 Am D7
You're walking away and they're talking be - hind you,

     C   D7   G B7
They will never forget you till somebody new comes a - long.

Chorus 3

Em7   A   Em7   A

Where you been lately?   There's a new kid in town,

Em7   A

Everybody loves him, don't they?

Am   B7   E   G♯m

And he's holding her and you're still a - round,_____

           A

Oh my,   my.

B7   E   G♯m A

There's a new kid in town._____

B7   E   G♯m A Am

Just another new kid in town._____

Outro

E   C♯m

Ooh, everybody's talking 'bout the new kid in town.

E   C♯m

Ooh, everybody's walking like the new kid in town.

           E

There's a new kid in town, I don't want to hear it.

           C♯m

There's a new kid in town, I don't want to hear it.

           E

There's a new kid in town.

           C♯m

There's a new kid in town.

           E

There's a new kid in town, everybody's talking.

           C♯m

There's a new kid in town, people started walking.

           E

There's a new kid in town.

           C♯m

There's a new kid in town.

           E

There's a new kid in town.   *To fade*

Over My Head (Cable Car)

Words & Music by Joseph King & Isaac Slade

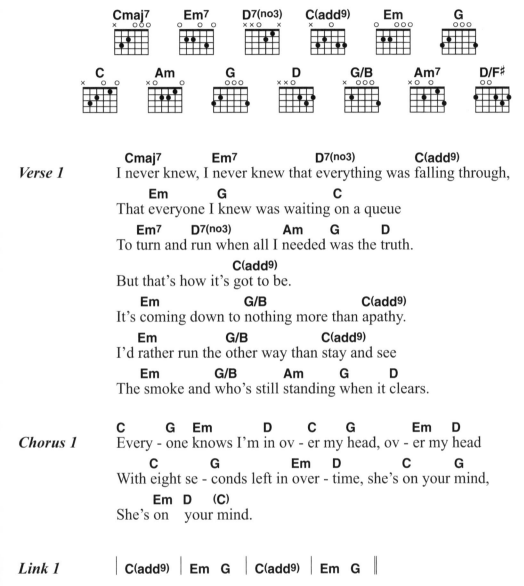

Verse 1

Cmaj7   Em7   D7(no3)   C(add9)
I never knew, I never knew that everything was falling through,

      Em   G   C
That everyone I knew was waiting on a queue

      Em7   D7(no3)   Am   G   D
To turn and run when all I needed was the truth.

                       C(add9)
But that's how it's got to be.

      Em   G/B   C(add9)
It's coming down to nothing more than apathy.

      Em   G/B   C(add9)
I'd rather run the other way than stay and see

      Em   G/B   Am   G   D
The smoke and who's still standing when it clears.

Chorus 1

      C   G   Em   D   C   G   Em   D
Every - one knows I'm in ov - er my head, ov - er my head

        C   G   Em   D   C   G
With eight se - conds left in over - time, she's on your mind,

      Em D   (C)
She's on   your mind.

Link 1

| C(add9) | Em G | C(add9) | Em G ‖

Verse 2

   (G)   C(add9)   Em   G/B   C(add9)
Let's rearrange, I wish you were a stranger I could disengage,

       Em   G/B   C(add9)
Just say that we a - gree and then never change,

        Em G/B   Am   G   D
Soft - en a bit until we all just get a - long.

            C(add9)   Em   G/B   C(add9)
But that's disregard, find another friend and you discard,

       Em   G/B   C(add9)
As you lose the argu - ment in a cable car

        Em   G/B   Am   G   D
Hang - ing a - bove as the canyon comes be - tween.

Chorus 2   As Chorus 1

     C   G Em   D   C   G   Em   D
Chorus 3   Every - one knows I'm in ov - er my head, ov - er my head

        C   G   Em D   C   G
With eight se - conds left in over - time, she's on your mind,

       Em D
She's on,   on.

        C(add9)   Em   G   C(add9)
Bridge   And suddenly I be - come a part of your past,

        Em   G   C(add9)
I'm be - coming the part that don't last,

      Em   G   Am7
I'm losing you and it's effortless.

        C(add9)   Em   G   C(add9)
With - out a sound we lose sight of the ground in the throw around,

       Em   Am7   C(add9)
Never thought that you wanted to bring it down,

       Em   G   Am7
I won't let it go down till we torch it ourselves.

Chorus 4

G
And everyone knows I'm in over my head, over my head
    C   G   Em   D/F♯   C   G
With eight se - conds left in over - time, she's on your mind,
      Em D/F♯ C
She's on   your mind.
Em   D   Em   D   C
  Every - one knows,   she's on your mind.
     Em   D   C
E - veryone knows I'm in over my head,
                 Em   D
I'm in over my head,   I'm over my.

Chorus 5

C   G   Em   D   C   G   Em   D
Every - one knows I'm in ov - er my head, ov - er my head
     C   G   Em   D   C   G
With eight se - conds left in over - time, she's on your mind,
      Em D   (C)
She's on   your mind.

Outro

‖: C(add9) | Em G | C(add9) | Em G :‖ C(add9) ‖

121

Perfect Day

Words & Music by Lou Reed

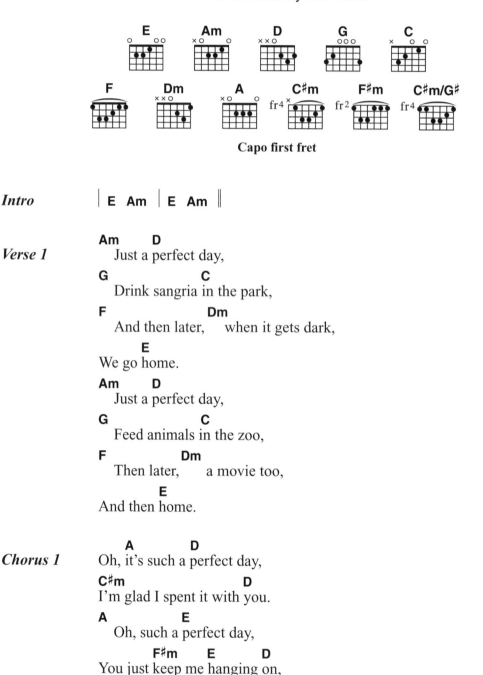

Capo first fret

Intro | E Am | E Am ‖

Verse 1

Am   D
Just a perfect day,

G   C
Drink sangria in the park,

F   Dm
And then later,   when it gets dark,

        E
We go home.

Am   D
Just a perfect day,

G   C
Feed animals in the zoo,

F   Dm
Then later,   a movie too,

          E
And then home.

Chorus 1

      A   D
Oh, it's such a perfect day,

C♯m   D
I'm glad I spent it with you.

A   E
Oh, such a perfect day,

      F♯m   E   D
You just keep me hanging on,

      F♯m   E   D | D |
You just keep me hanging on.

Verse 2

```
Am      D
  Just a perfect day,
G           C
  Problems all left alone,
F           Dm
  Weekenders on our own,
          E
It's such fun.
Am      D
  Just a   perfect day,
G                   C
  You made me for - get myself,
F               Dm
  I thought I was    someone else,
          E
Someone    good.
```

Chorus 2

```
       A         D
Oh, it's such a perfect day,
C#m                 D
I'm glad I spent it with you.
A           E
  Oh, such a perfect day,
      F#m     E       D
You just keep me hanging on,
      F#m     E       D
You just keep me hanging on.
```

Piano Solo

```
| F#m    | E     | D     |
| F#m    | E     | D     |
| F#m    | E     | D     ||
```

Outro

```
C#m/G#          G           D           A
  You're going to reap just what you sow,
C#m/G#          G           D           A
  You're going to reap just what you sow,
C#m/G#          G           D           A
  You're going to reap just what you sow,
C#m/G#          G           D
  You're going to reap just what you sow.__
```

```
||: A    | F#m   | E     | D     :|| A        ||
```

Please, Please, Please, Let Me Get What I Want

Words & Music by Morrissey & Johnny Marr

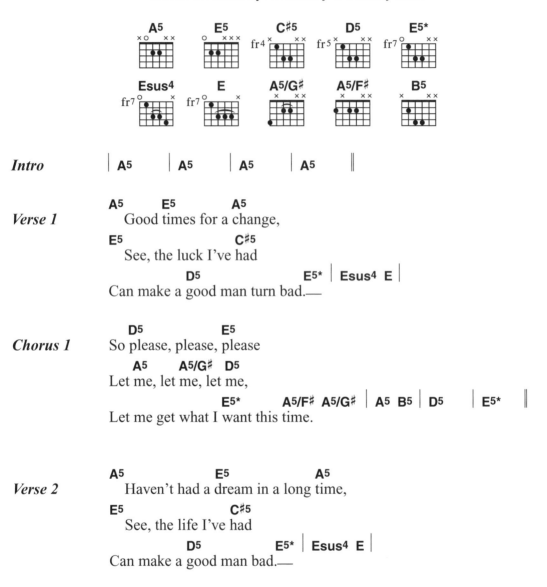

Intro | A5 | A5 | A5 | A5   ‖

Verse 1

A5   E5   A5
Good times for a change,

E5   C♯5
See, the luck I've had

            D5   E5* | Esus4 E |
Can make a good man turn bad.——

Chorus 1

D5   E5
So please, please, please

A5   A5/G♯ D5
Let me, let me, let me,

            E5*   A5/F♯ A5/G♯ | A5 B5 | D5 | E5*   ‖
Let me get what I want this time.

Verse 2

A5   E5   A5
Haven't had a dream in a long time,

E5   C♯5
See, the life I've had

            D5   E5* | Esus4 E |
Can make a good man bad.——

Chorus 2

D^5 E^5
So for once in my life

       A^5 $A^5/G\sharp$ D^5
Let me get what I want,

               E^5 $A^5/F\sharp$ $A^5/G\sharp$ | A^5 B^5 |
Lord knows, it would be the first time,

D^5 E^5
Lord knows, it would be the first time.

Instrumental

| A^5 | E^5 | A^5 | E^5 |

| $C\sharp^5$ | D^5 | E^5* | Esus^4 E |

| D^5 | E^5 | A^5 $A^5/G\sharp$ | D^5 |

| D^5 | E^5 | $A^5/F\sharp$ $A^5/G\sharp$ | A^5 B^5 |

| D^5 | E^5 | A^5 |

Promises

Words & Music by Richard Feldman & Roger Linn

G   C   D   D/F♯   Bm   G/B   Am⁷

Intro | G | G | G | G ||

Verse 1

G
I don't care if you never come home,
C
I don't mind if you just
G
Keep on rolling away on a distant sea,
D   **D/F♯ G**
'Cause I don't love you and you don't love   me.

Verse 2

G
You cause a commotion when you come to town,
C
You give them a smile and they melt.
G
Having lovers as friends is all good and fine,
D   **D/F♯ G**
But I don't like yours and you don't like   mine.

Bridge 1

C Bm   D
La-la, la la la la la.
C Bm   D
La-la, la la la la la.
D/F♯ G
La la   la.

Verse 3

G
I don't care what you do at night,
C
Oh, I don't care how you get your delights.
G
I'm gonna leave you alone, I'll just let it be,
D   **D/F♯ G**
I don't love you and you don't love   me.

Bridge 2

C   G/B
I got a problem, can you relate?

Am⁷   G
I got a woman, call it love-hate.

C   G/B
We made a vow we'd always be friends,

Am⁷   G
How could we know that promises end?

Bridge 3

       C   Bm   D
La-la,   la la la la la.

       C   Bm   D
La-la,   la la la la la.

    D/F♯   G
La la   la.

Verse 4

G
I tried to love you for years upon years,

        C
You refused to take me for real.

       G
It's time you saw what I want you to see,

        D   D/F♯   G
And I still love you but it's just not   me.

Bridge 4

C   G/B
I got a problem, can you relate?

Am⁷   G
I got a woman, call it love-hate.

C   G/B
We made a vow we'd always be friends,

Am⁷   G
How could we know that promises end?

Coda

         C   Bm   D
‖: La-la,   la la la la la.

       C   Bm   D
La-la,   la la la la la.   :‖   *Repeat to fade*

127

Rain King

Words & Music by Adam Duritz, David Bryson,
Matthew Malley, Steve Bowman & Charles Gillingham

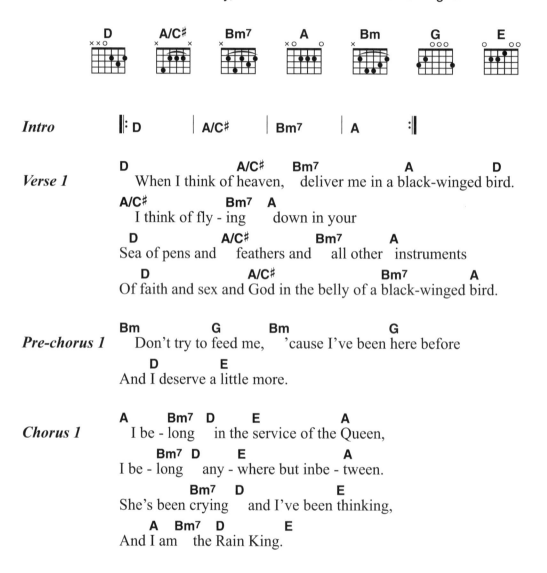

Intro ‖: D | A/C♯ | Bm7 | A :‖

Verse 1

D   A/C♯   Bm7   A   D
   When I think of heaven,   deliver me in a black-winged bird.

A/C♯   Bm7   A
I think of fly - ing   down in your

D   A/C♯   Bm7   A
Sea of pens and   feathers and   all other   instruments

D   A/C♯   Bm7   A
Of faith and sex and God in the belly of a black-winged bird.

Pre-chorus 1

Bm   G   Bm   G
   Don't try to feed me,   'cause I've been here before

D   E
And I deserve a little more.

Chorus 1

A   Bm7   D   E   A
   I be - long   in the service of the Queen,

Bm7 D   E   A
I be - long   any - where but inbe - tween.

Bm7   D   E
She's been crying   and I've been thinking,

A   Bm7   D   E
And I am   the Rain King.

Verse 2

```
(E)        D              A/C♯            Bm7    A         D
And I said mama, mama, mama, why am I so a - lone?
      D              A/C♯           Bm7              A
And I can't go out - side, I'm scared I might not make it home.
             D          A/C♯  Bm7            A
But I'm a - live, I'm a - live,       but I'm sinking in.
             D              A/C♯
If there's anyone at home at your place, darling,
Bm7                    A
Why don't you invite me in?
```

Pre-chorus 2

```
Bm         G        Bm                  G
Don't try to bleed me,    'cause I've been there before
      D        E
And I deserve a little more.
```

Chorus 2

```
A        Bm7 D     E          A
  I be - long    in the service of the Queen,
      Bm7  D     E          A
I be - long    any - where but inbe - tween.
            Bm7    D              E
She's been lying       and I've been thinking,
      A  Bm7  D          E
And I am    the Rain King.
```

Bridge

```
Bm           D              A
  Hey, I only want the same as anyone,
Bm              D    A    Bm
  Henderson is wait  -  ing for the sun.
                   D          A
Oh, it seems night endlessly be - gins and ends,
Bm              D          A            (D)
  After all the dreaming I come home a - gain.
```

Instrumental ‖: D | A/C♯ | Bm7 | A   :‖

Verse 3

```
D                      A/C♯   Bm7                    A
   When I think of heaven,    deliver me in a black-winged bird.
A/C♯            Bm7  A
   I think of dy - ing,     lay me down in a
    D                  A/C♯       Bm7              A
Field of flame and    heather,    render up my body into the
D                  A/C♯                 Bm7           A
Burning heart of God in the belly of a black-winged bird.
```

Pre-chorus 3

```
Bm            G         Bm                    G
   Don't try to bleed me,    'cause I've been here before
       D          E
And I deserve a little more.
```

Chorus 3

```
A        Bm7 D      E             A
   I be - long    in the service of the Queen,
       Bm7 D      E             A
I be - long    any - where but inbe - tween.
         Bm7         D          E
She's been dying and I've been drinking,
    A  Bm7  D           E
And I am   the Rain King.
```

Outro

```
E                    A  Bm7  D          E
   'Cause I said that I am   the Rain King.
          A      Bm7 D  E
'Cause I said I, I, I, I, I   am__ and
A   Bm7    D
I am   the Rain King. Yeah.
```

Rolling In The Deep

Words & Music by Paul Epworth & Adele Adkins

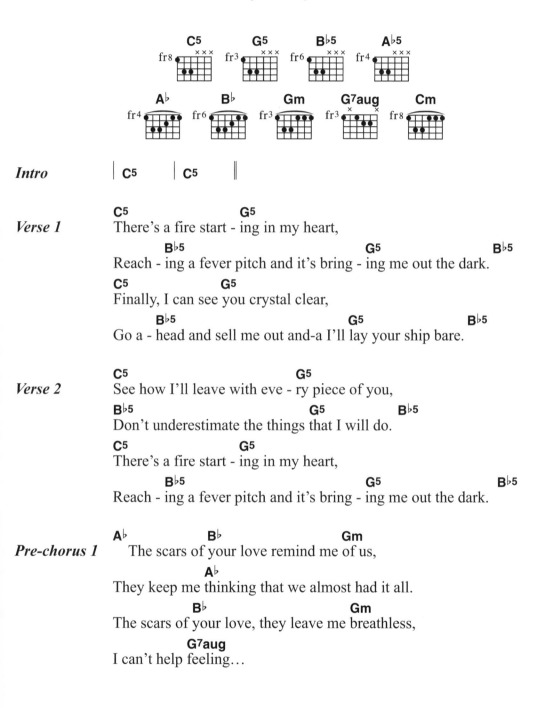

Intro | C5 | C5 | ‖

Verse 1
C5   G5
There's a fire start - ing in my heart,
      Bb5   G5   Bb5
Reach - ing a fever pitch and it's bring - ing me out the dark.
C5   G5
Finally, I can see you crystal clear,
      Bb5   G5   Bb5
Go a - head and sell me out and-a I'll lay your ship bare.

Verse 2
C5   G5
See how I'll leave with eve - ry piece of you,
Bb5   G5   Bb5
Don't underestimate the things that I will do.
C5   G5
There's a fire start - ing in my heart,
      Bb5   G5   Bb5
Reach - ing a fever pitch and it's bring - ing me out the dark.

Pre-chorus 1
Ab   Bb   Gm
  The scars of your love remind me of us,
            Ab
They keep me thinking that we almost had it all.
        Bb   Gm
The scars of your love, they leave me breathless,
           G7aug
I can't help feeling…

Chorus 1

(G7aug)   **Cm** **B♭**
We could have had it all,____

         A♭
Rolling in the deep.

  B♭   **Cm**   **B♭**
You had my heart in - side your hand

    A♭   **B♭**
And you played it to the beat.

Verse 3

C5   **G5**
Baby, I have no sto - ry to be told,

    B♭5   **G5**   **B♭5**
But I've heard one on you and I'm gonna make your head burn.

C5   **G5**
Think of me in the depths of your despair,

    B♭5   **G5**   **B♭5**
Make a home down there as mine sure won't be shared.

Pre-chorus 2   As Pre-chorus 1

Chorus 2   As Chorus 1

Bridge

B♭   **A♭** **B♭**
Could have had it all,____

         Cm   **B♭**
Rolling in the deep.____

        A♭
You had my heart in - side your hand,

   B♭
But you played it with a beating.

Verse 4

N.C.(Cm)
Throw your soul through every open door,

Count your blessings to find what you look for.

Cm
Turn my sorrow into treasured gold,

You'll pay me back in kind and reap just what you've sown.

Breakdown
Chorus 3

Cm   B♭
(You're gonna wish you never had met me),

                 A♭
We could have had it all,

  B♭   Cm B♭
We could have had it all,___

  A♭
It all, it all, it all.

Chorus 4

                 Cm B♭
We could have had it all,___

        A♭
Rolling in the deep.

  B♭   Cm   B♭
You had my heart in - side your hand

      A♭
And you played it to the beat.

B♭   Cm B♭
Could have had it all,___

        A♭
Rolling in the deep.

  B♭   Cm   B♭
You had my heart in - side your hand,

      A♭
But you played it, you played it, you played it,

  B♭   Cm
You played it to the beat.

Rikki Don't Lose That Number

Words & Music by Donald Fagen & Walter Becker

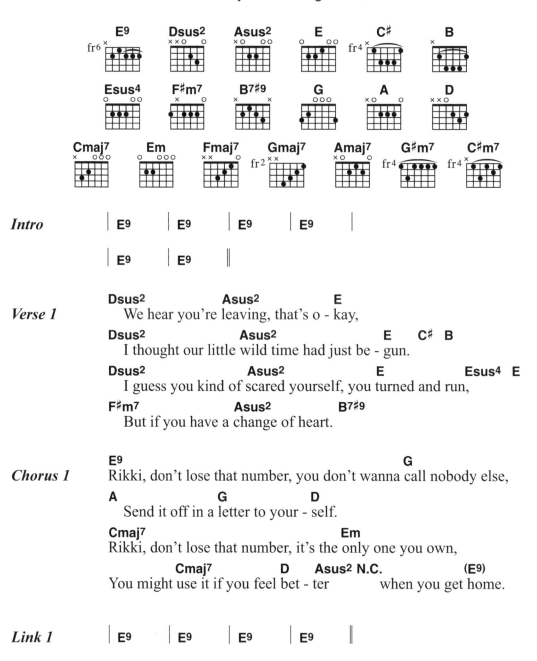

Intro

| E9 | E9 | E9 | E9 | |

| E9 | E9 ||

Verse 1

Dsus2   Asus2   E
We hear you're leaving, that's o - kay,

Dsus2   Asus2   E C# B
I thought our little wild time had just be - gun.

Dsus2   Asus2   E   Esus4 E
I guess you kind of scared yourself, you turned and run,

F#m7   Asus2   B7#9
But if you have a change of heart.

Chorus 1

E9   G
Rikki, don't lose that number, you don't wanna call nobody else,

A   G   D
Send it off in a letter to your - self.

Cmaj7   Em
Rikki, don't lose that number, it's the only one you own,

    Cmaj7   D Asus2 N.C.   (E9)
You might use it if you feel bet - ter   when you get home.

Link 1

| E9 | E9 | E9 | E9 ||

Verse 2

Dsus²   **Asus²**   **E**
   I have a friend in town, he's heard your name,

Dsus²   **Asus²**   **E**   **C♯** **B**
   We can go out driving on Slow Hand Row.

Dsus²   **Asus²**   **E**
   We could stay in - side and play games, I don't know

F♯m⁷   **Asus²**   **B7♯9**
   And you could have a change of heart.

Chorus 2   As Chorus 1

Link 2   As Link 1

Guitar solo | **Dsus²** | **Asus²** | **E** | **E** |

              | **Dsus²** | **Asus²** | **G** | **G** |

              | **Fmaj⁷** | **Gmaj⁷** | **Fmaj⁷** | **Em** |

              | **Dsus²** | **Asus²** | **E** | **E**   ‖

Bridge

Amaj⁷   **G♯m⁷**
   You tell yourself you're not my kind,

Amaj⁷   **C♯m⁷**
   But you don't even know your mind,

F♯m⁷   **Asus²**   **B7♯9**
   And you could have a change of heart.

Chorus 3   As Chorus 1

Link 3 | **E⁹** | **E⁹**   ‖

Outro

E⁹
Rikki, don't lose that number. (Rikki, don't lose that number)

Rikki, don't lose that number.

135

Saltwater

Words & Music by Julian Lennon, Mark Spiro & Leslie Spiro

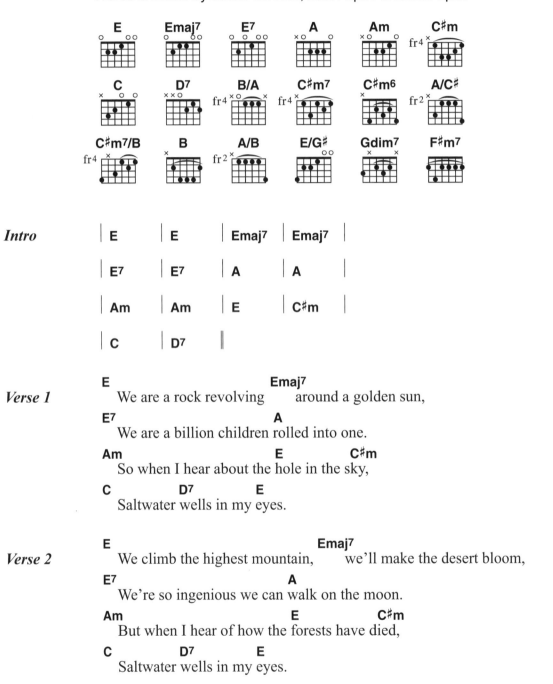

Intro | E | E | Emaj7 | Emaj7 |

| E7 | E7 | A | A |

| Am | Am | E | C#m |

| C | D7 ||

Verse 1

E
We are a rock revolving Emaj7 around a golden sun,
E7 A
We are a billion children rolled into one.
Am E C#m
So when I hear about the hole in the sky,
C D7 E
Saltwater wells in my eyes.

Verse 2

E
We climb the highest mountain, Emaj7 we'll make the desert bloom,
E7 A
We're so ingenious we can walk on the moon.
Am E C#m
But when I hear of how the forests have died,
C D7 E
Saltwater wells in my eyes.

Bridge 1

B/A   A   B/A   A
I have lived for love, but now that's not e - nough,

      C♯m7   C♯m6   A/C♯   C♯m C♯m7/B
For the world I love is dying. (And now I'm cry - ing)

    B/A   A   B   A/B
And time is not a friend, as friends we're out of time,

     C♯m7 B A   E/G♯ Gdim7 F♯m7
And it's slow - ly pass - ing by   right before our eyes.

Verse 3

E   Emaj7
  We light the deepest oceans,   send photographs of Mars,

E7   A
  We're so enchanted by how clever we are.

Am   E   C♯m
  Why should one baby feel so hungry she cries?

C   D7   E
  Saltwater wells in my eyes.

Instrumental

| E | E | Emaj7 | Emaj7 |

| E7 | E7 | A | A |

| Am | Am | E | C♯m |

| C | D7 | E | E   ‖

Bridge 2   As Bridge 1

Verse 4

E   Emaj7
  We are a rock revolving   around a golden sun,

E7   A
  We are a billion children rolled into one.

Am   E   C♯m
  What will I think of me the day that I die,

C   D7   E
  Saltwater wells in my eyes.

C   D7   E
  Saltwater wells in my eyes.

| C | D7 | E   ‖

Set The Fire To The Third Bar

Words & Music by Paul Wilson, Gary Lightbody,
Jonathan Quinn, Nathan Connolly & Tom Simpson

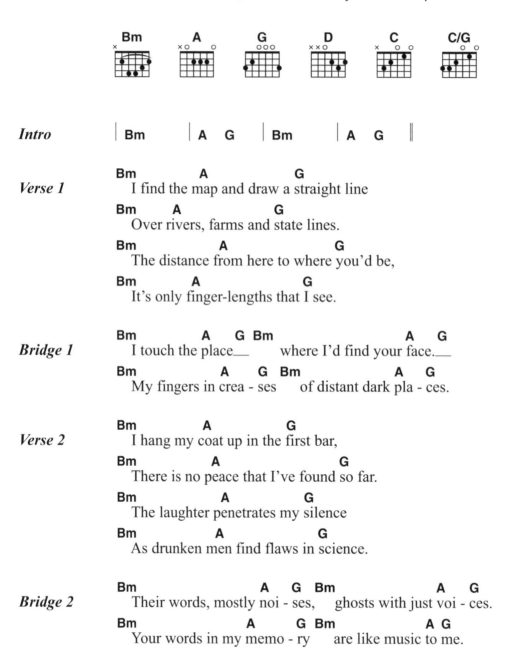

Intro | Bm | A G | Bm | A G ‖

Verse 1

Bm   A   G
I find the map and draw a straight line

Bm   A   G
Over rivers, farms and state lines.

Bm   A   G
The distance from here to where you'd be,

Bm   A   G
It's only finger-lengths that I see.

Bridge 1

Bm   A   G Bm   A   G
I touch the place___   where I'd find your face.___

Bm   A   G Bm   A   G
My fingers in crea - ses   of distant dark pla - ces.

Verse 2

Bm   A   G
I hang my coat up in the first bar,

Bm   A   G
There is no peace that I've found so far.

Bm   A   G
The laughter penetrates my silence

Bm   A   G
As drunken men find flaws in science.

Bridge 2

Bm   A   G Bm   A   G
Their words, mostly noi - ses,   ghosts with just voi - ces.

Bm   A   G Bm   A G
Your words in my memo - ry   are like music to me.

Chorus 1

Bm   D
   I'm miles from where you are,

  A   G
I   lay down on the   cold ground.

   Bm   D
I,   I pray that something picks me up

     A   C
And   sets me down in your   warm arms.

Verse 3

Bm   A   G
   After I   have travelled so far,

Bm   A   G
  We'd set the fire to the third bar.

Bm   A   G
  We'd share each oth - er like an island

Bm   A   G
  Until ex - hausted, close our eyelids.

Bridge 3

Bm   A G Bm   A G
  And dreaming, pick up from   the last place we left off

Bm   A   G Bm   A   G
  Your soft skin is weep - ing,   a joy you can't keep in.

Chorus 2

Bm   D
   I'm miles from where you are,

  A   G
I   lay down on the   cold ground.

     Bm   D
And I,   I pray that something picks me up

    A   C/G
And   sets me down in your   warm arms.

Chorus 3

Bm   D
   I'm miles from where you are,

  A   G
I   lay down on the   cold ground.

     Bm   D
And I,   I pray that something picks me up

    A   C   G
And   sets me down in your   warm arms.

She's Always A Woman

Words & Music by Billy Joel

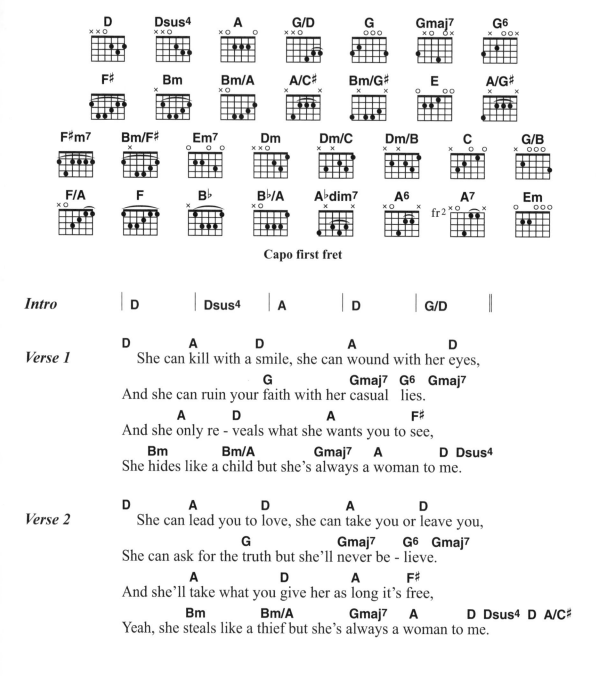

Capo first fret

Intro | D | Dsus4 | A | D | G/D   ‖

Verse 1
       D   A   D   A   D
      She can kill with a smile, she can wound with her eyes,
                        G   Gmaj7   G6 Gmaj7
And she can ruin your faith with her casual   lies.
          A   D   A   F#
And she only re - veals what she wants you to see,
      Bm   Bm/A   Gmaj7   A   D Dsus4
She hides like a child but she's always a woman to me.

Verse 2
       D   A   D   A   D
      She can lead you to love, she can take you or leave you,
                        G   Gmaj7   G6 Gmaj7
She can ask for the truth but she'll never be - lieve.
          A   D   A   F#
And she'll take what you give her as long it's free,
      Bm   Bm/A   Gmaj7   A   D Dsus4 D A/C#
Yeah, she steals like a thief but she's always a woman to me.

Bridge 1

Bm Bm/A Bm/G♯   E   A   A/G♯
Oh,_____ she takes care of her - self,____

F♯m⁷   D   G   Bm/F♯ Em⁷   A   D   Dsus⁴ D
She can wait if she wants,   she's a - head of her time.

Dm Dm/C Dm/B   G   C G/B
Oh,_____ and she never gives out,

F/A   F   B♭ B♭/A A♭dim⁷   E   A   A⁶
And she never gives in,   she just changes her mind.

Verse 3

A⁷   A⁶   D   A⁶   D
And she'll promise you more than the garden of Eden,

            G   Gmaj⁷   G⁶   Gmaj⁷
Then she'll carelessly cut you and laugh while you're bleeding.

      A   D   A   F♯
But she'll bring out the best and the worst you can be,

      Bm   Bm/A   Gmaj⁷ A   D Dsus⁴
Blame it all on your - self, 'cause she's always a woman to me.

Interlude

D   A   D   A   F♯
Mm mm mm mm mm, mm mm mm mm mm

   Bm   Bm/A
Mm mm mm mm, mm mm mm,

Gmaj⁷   A   D   Dsus⁴ C A/C♯
Mm mm mm, mm mm mm mm.

Bridge 2   As Bridge 1

Verse 4

A⁷   A⁶   D   A⁶   D
She's frequently kind and she's suddenly cruel,

          G   Gmaj⁷ G⁶   Gmaj⁷
She can do as she pleases, she's nobody's fool.

     A   D   A   F♯
And she can't be con - victed, she's earned her de - gree,

      Bm   Bm/A   Gmaj⁷   Bm/F♯
And the most she will do is throw shadows at you

        Em   A   D Dsus⁴
But she's always a woman to me.

Outro

D   A   D   A   F♯
Mm mm mm mm mm, mm mm mm mm mm

   Bm   Bm/A
Mm mm mm mm, mm mm mm,

Gmaj⁷   A   D   Dsus⁴ D
mm mm mm, mm mm mm mm.

141

Sitting In Limbo

Words & Music by Jimmy Cliff & Gully Bright

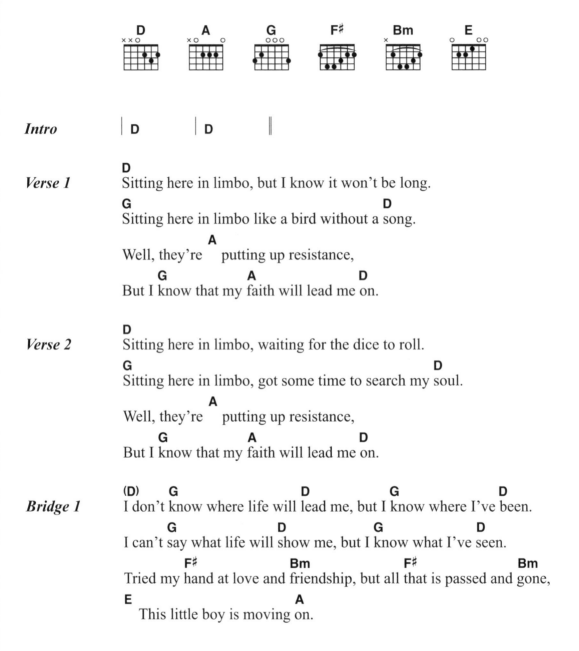

Intro

|| D | D ||

Verse 1

D
Sitting here in limbo, but I know it won't be long.
G   D
Sitting here in limbo like a bird without a song.
                        A
Well, they're   putting up resistance,
            G   A   D
But I know that my faith will lead me on.

Verse 2

D
Sitting here in limbo, waiting for the dice to roll.
G   D
Sitting here in limbo, got some time to search my soul.
                        A
Well, they're   putting up resistance,
            G   A   D
But I know that my faith will lead me on.

Bridge 1

(D)   G   D   G   D
I don't know where life will lead me, but I know where I've been.
            G   D   G   D
I can't say what life will show me, but I know what I've seen.
                F♯   Bm   F♯   Bm
Tried my hand at love and friendship, but all that is passed and gone,
E   A
    This little boy is moving on.

Verse 3

D
Sitting here in limbo, waiting for the tide to flow.
G   **D**
Sitting here in limbo, knowing that I have to go.

                          A
Well, they're   putting up resistance,
          G   **A**   **D**
But I know that my faith will lead me on.

Bridge 2

(D)   **G**   **D**   **G**   **D**
I can't say what life will show me, but I know what I've seen.
              G   **D**   **G**   **D**
I can't say where life will lead me, but I know where I've been.
                  F♯   **Bm**   **F♯**   **Bm**
Tried my hand at love and friendship, but all that is passed and gone,
E   **A**
    This little boy is moving on.

Link 1

| **D** | **D**   ‖

Verse 4

As Verse 3

Outro

D
Sitting in limbo, sitting in limbo.

Sitting in limbo, sitting in limbo.

Sitting in limbo, sitting in limbo.

Sitting in limbo, limbo, limbo, sitting in limbo.

Sitting in limbo, limbo, limbo, limbo, limbo.

Sitting in limbo, sitting in limbo.

Sitting in limbo, sitting in limbo.

Don't know if it's got to be so, don't know if it's got to be so,

Sitting in limbo, sitting here in limbo.

But I know we won't be long now, I know we won't be long.

(Ad lib. to fade)

Solsbury Hill

Words & Music by Peter Gabriel

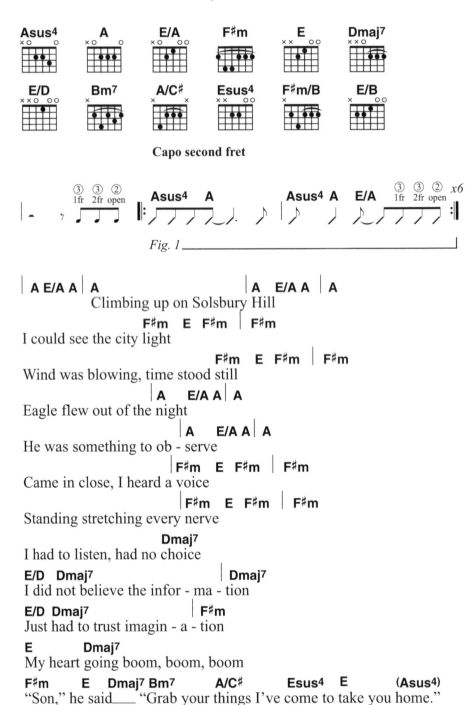

Capo second fret

Intro

Asus⁴ A   Asus⁴ A E/A

Fig. 1

Verse 1

| A E/A A | A | A E/A A | A

Climbing up on Solsbury Hill

            F#m E F#m | F#m

I could see the city light

                    F#m E F#m | F#m

Wind was blowing, time stood still

| A   E/A A | A

Eagle flew out of the night

| A   E/A A | A

He was something to ob - serve

| F#m E F#m | F#m

Came in close, I heard a voice

| F#m E F#m | F#m

Standing stretching every nerve

            Dmaj⁷

I had to listen, had no choice

E/D Dmaj⁷ | Dmaj⁷

I did not believe the infor - ma - tion

E/D Dmaj⁷ | F#m

Just had to trust imagin - a - tion

E   Dmaj⁷

My heart going boom, boom, boom

F#m   E   Dmaj⁷ Bm⁷   A/C#   Esus⁴ E   (Asus⁴)

"Son," he said___ "Grab your things I've come to take you home."

Link 1

Asus⁴ A   Asus⁴ A E/A

Verse 2

| A E/A A | A | A   E/A A | A
To keep in silence I res - igned

                                   F♯m E F♯m | F♯m
My friends would think I was a nut

                    | F♯m E F♯m | F♯m
Turning water into wine

                          | A   E/A A | A
Open doors would soon be shut

                        | A   E/A A | A
So I went from day to day

                            | F♯m E F♯m | F♯m
Though my life was in a rut

                          | F♯m E F♯m | F♯m
Till I thought of what I'd say

                            | Dmaj⁷
Which connection I should cut

E/D   Dmaj⁷ | Dmaj⁷
   I was feeling part of the scene - ry

E/D   Dmaj⁷ | F♯m
I walked right out of the machine - ry

E   Dmaj⁷
My heart going boom, boom, boom

 F♯m E   Dmaj⁷ Bm⁷   A/C♯   Esus⁴ E   Asus⁴ (fig.1)
"Hey," he said___"Grab your things I've come to take you home."

          (Asus⁴)
Yeah, back home.

Link 2

Asus⁴ A   Asus⁴ A E/A

Play 4 times

145

Verse 3

    | A E/A A | A | A E/A A | A
             When illusion spin her net

          | F♯m E F♯m | F♯m
I never where I wanna be

          | F♯m E F♯m | F♯m
And liberty she pirou - ette

        | A   E/A A | A
When I think that I am free

         | A   E/A A | A
Watch my empty silhou - ette

          | F♯m E F♯m | F♯m
Who close their eyes but still can see

          | F♯m E F♯m | F♯m
No one taught them eti - quette

       | Dmaj⁷
I will show another me

    E/D Dmaj⁷ | Dmaj⁷
To - day I don't need a replace - ment

E/D Dmaj⁷   F♯m/B
I tell them what the smile on my face meant

E/B   F♯m/B
My heart going boom, boom, boom

  F♯m E   Dmaj⁷   Bm⁷   A/C♯
"Hey," I said,— "you can keep my things,

             Esus⁴ E   (Asus⁴)
         they've come to take me home."

Outro

    Asus⁴ A   Asus⁴ A E/A   ③ ③ ②
                                      1fr 2fr open
||: ♪ ♪ ♪ ♪ ♪. ♪ | ♪ ♪ ♪ ♪ ♪ ♪ ♪ :|| *Repeat to fade*

Take Your Mama

Words & Music by Jason Sellards & Scott Hoffman

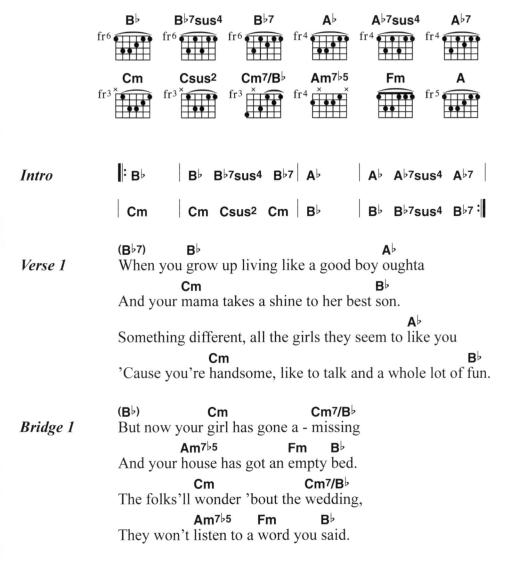

Intro

‖: B♭ | B♭ B♭7sus4 B♭7 | A♭ | A♭ A♭7sus4 A♭7 |

| Cm | Cm Csus2 Cm | B♭ | B♭ B♭7sus4 B♭7 :‖

Verse 1

(B♭7)   B♭   A♭
When you grow up living like a good boy oughta
        Cm   B♭
And your mama takes a shine to her best son.

                               A♭
Something different, all the girls they seem to like you
        Cm   B♭
'Cause you're handsome, like to talk and a whole lot of fun.

Bridge 1

(B♭)   Cm   Cm7/B♭
But now your girl has gone a - missing
     Am7♭5   Fm   B♭
And your house has got an empty bed.
       Cm   Cm7/B♭
The folks'll wonder 'bout the wedding,
     Am7♭5   Fm   B♭
They won't listen to a word you said.

Pre-chorus 1

B♭
We're gonna take your mama out all night,
　　　　A♭
Yeah, we'll show her what it's all about.
　　　　　E♭
We'll get her jacked up on some cheap champagne,
　　　　B♭
We'll let the good times all roll out.

And if the music ain't good, well it's just too bad,
　　　　A♭
We're gonna sing along no matter what.
　　　　E♭
Because the dancers don't mind at the New Orleans,
　　B♭　　　　　　　　　A♭　A
If you tip 'em and they make a cut.

Chorus 1

B♭
Do it, take your mama out all night,
　　　E♭　　　　　　　　　　　　　　　　B♭
So she'll have no doubt that we're doing all the best we can.
A♭　　　A　　B♭　　　　　　A♭
　We're gonna do it, take your mama out all night,
　　　E♭　　　　　　　　　　　　B♭　A♭　A
You can stay up late 'cause baby you're a full grown man.

Link 1

| B♭ | B♭ B♭7sus4 B♭7 | A♭ | A♭ A♭7sus4 A♭7 |

| Cm | Cm Csus2 Cm | B♭ | B♭ B♭7sus4 B♭7 ‖

Verse 2

(B♭7) B♭　　　　　　　　　　　A♭
It's a struggle living like a good boy oughta,
　　Cm　　　　　　　　　　　　B♭
In the summer watching all the girls pass by.
　　　　　　　　　　　　　　　A♭
When your mama heard the way that you'd been talking,
　　Cm　　　　　　　　　B♭
I tried to tell you that all she'd wanna do is cry.

Bridge 2

    (B♭)   **Cm**   **Cm7/B♭**
Now we end up taking the long way home,

Am7♭5   **Fm**   **B♭**
Looking overdressed wearing buckets of stale co - logne.

        Cm   **Cm7/B♭**
It's so hard to see streets on a country road

        Am7♭5   **Fm**   **B♭**
When your glasses in the garbage and your Continental's just been towed.

Pre-chorus 2   As Pre-chorus 1

Chorus 2   As Chorus 1

Instrumental | **B♭** | **B♭** | **A♭** | **A♭** |

               | **E♭** | **E♭** | **B♭** | **B♭** |

               | **B♭** | **B♭** | **A♭** | **A♭** |

               | **E♭** | **E♭** | **B♭** | **A♭** **A** ‖

Chorus 3

B♭   **A♭**
Do it, take your mama out all night,

      E♭   **B♭**
So she'll have no doubt that we're doing all the best we can.

A♭   **A**   **B♭**   **A♭**
  We're gonna do it, take your mama out all night,

      E♭   **B♭** **A♭** **A**
You can stay up late 'cause baby you're a full grown man.

Strawberry Letter 23

Words & Music by Shuggie Otis

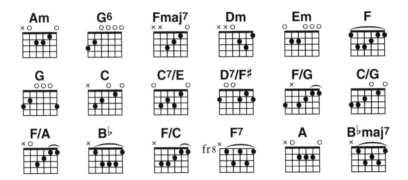

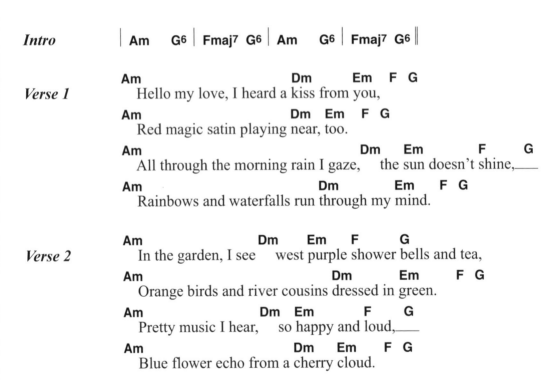

Intro | Am   G⁶ | Fmaj⁷ G⁶ | Am   G⁶ | Fmaj⁷ G⁶ ‖

Verse 1

Am   Dm   Em   F G
Hello my love, I heard a kiss from you,

Am   Dm   Em   F G
Red magic satin playing near, too.

Am   Dm   Em   F   G
All through the morning rain I gaze,   the sun doesn't shine,___

Am   Dm   Em   F G
Rainbows and waterfalls run through my mind.

Verse 2

Am   Dm   Em   F   G
In the garden, I see   west purple shower bells and tea,

Am   Dm   Em   F G
Orange birds and river cousins dressed in green.

Am   Dm   Em   F   G
Pretty music I hear,   so happy and loud,___

Am   Dm   Em   F G
Blue flower echo from a cherry cloud.

Bridge

  F
Feel sunshine sparkle pink and blue,
                               C   C7/E
Playgrounds will laugh if you try to ask is it cool?
  F   D7/F♯   G
If you arrive and don't see me I'm going to be with my baby,
F/G   C/G   F/G
I am free, flying in her arms over___ the sea.

Verse 3

  Am   Dm   Em   F   G
Stained window yellow candy screen,   see speakers of kite,___
  Am   Dm   Em   F G
With velvet roses digging freedom flight.
  Am   Dm   Em F   G
A present from you,   straw - berry letter twenty-two,
  Am   Dm Em F G
The music plays, I sit in for a few.

Interlude

  F F/A B♭   F/C C7   F7
Ooh, ooh, ooh, ooh, ooh.
  F/A B♭   F/C C7   F7
Ooh, ooh, ooh, ooh, ooh.
  F/A B♭   F/C C7   F7
Ooh, ooh, ooh, ooh, ooh.
  F/A B♭   F/C C
Ooh, ooh, ooh, ooh.

Link

| Am   G6 | Fmaj7 G6 | Am   G6 | Fmaj7 G6 ‖

Outro

‖: A | G | Em | B♭maj7 :‖ *Repeat ad lib. to fade*

Sweet Talkin' Woman

Words & Music by Jeff Lynne

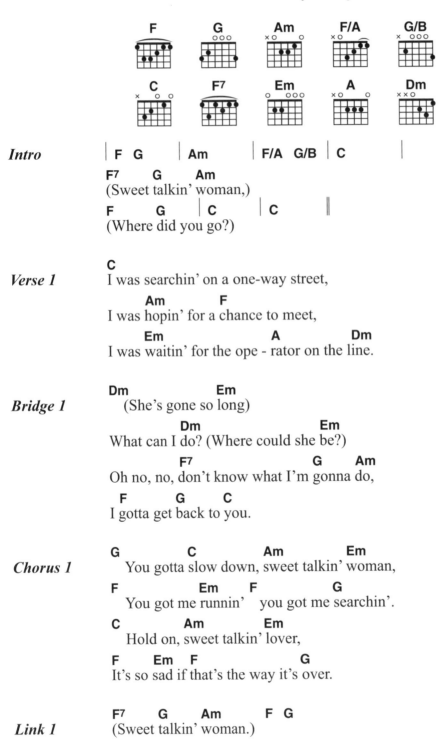

Intro | F G | Am | F/A G/B | C |

F⁷   G   Am
(Sweet talkin' woman,)
F   G | C | C   ‖
(Where did you go?)

Verse 1
C
I was searchin' on a one-way street,
    Am   F
I was hopin' for a chance to meet,
        Em   A   Dm
I was waitin' for the ope - rator on the line.

Bridge 1
Dm   Em
   (She's gone so long)
            Dm   Em
What can I do? (Where could she be?)
            F⁷   G   Am
Oh no, no, don't know what I'm gonna do,
    F   G   C
I gotta get back to you.

Chorus 1
G   C   Am   Em
   You gotta slow down, sweet talkin' woman,
F   Em   F   G
   You got me runnin' you got me searchin'.
C   Am   Em
   Hold on, sweet talkin' lover,
F   Em   F   G
It's so sad if that's the way it's over.

Link 1
F⁷   G   Am   F G
(Sweet talkin' woman.)

Verse 2

  (G) C
I was walkin', many days gone by,

     Am   F
I was thinkin' 'bout the lonely nights,

      Em   A   Dm
Com - munication breakdown all a - round me.

Bridge 2   As Bridge 1

Chorus 2   As Chorus 1

Link 2

F7   G   Am
(Sweet talkin' woman.)

Verse 3

(Am)   C
I've been livin' on a dead-end street,

      Am   F
I've been askin' every - body I meet

Em   A   Dm
Insufficient data comin' through.

Bridge 3   As Bridge 1

Chorus 3

C   Am   Em
Slow down, sweet talkin' woman,

F   Em   F   G
  You got me runnin' you got me searchin'.

C   Am   Em
Hold on, sweet talkin' lover,

F   Em   F   G
  It's so sad if that's the way it's over.

Link 3

F7   G   Am   G
(Sweet talkin' woman.)

Chorus 4

   C   Am   Em
‖: Slow down, sweet talkin' woman,

F   Em   F   G
  You got me runnin' you got me searchin'.

C   Am   Em
Hold on, sweet talkin' lover,

F   Em   F   G
  It's so sad if that's the way it's over. :‖ *Play 4 times to fade*

Take Me With U

Words & Music by Prince

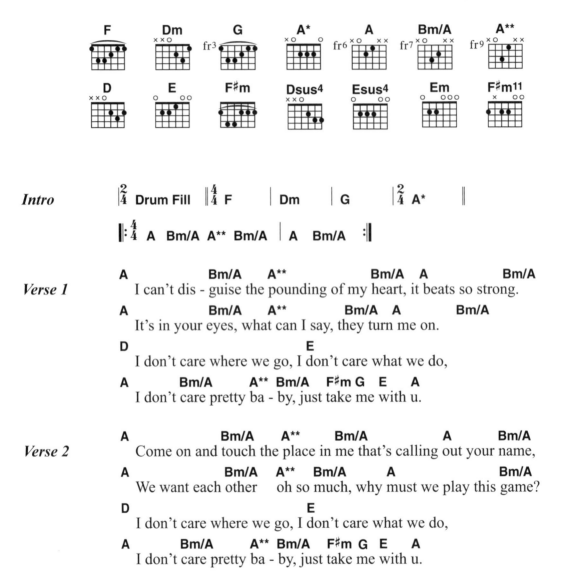

F   Dm   G   A*   A   Bm/A   A**

D   E   F#m   Dsus4   Esus4   Em   F#m11

Intro |2/4 **Drum Fill** |4/4 **F** | **Dm** | **G** |2/4 **A*** ‖

‖: 4/4 **A Bm/A A** Bm/A** | **A Bm/A** :‖

Verse 1

A   Bm/A   A**   Bm/A   A   Bm/A
I can't dis - guise the pounding of my heart, it beats so strong.

A   Bm/A   A**   Bm/A   A   Bm/A
It's in your eyes, what can I say, they turn me on.

D   E
I don't care where we go, I don't care what we do,

A   Bm/A   A** Bm/A   F#m G   E   A
I don't care pretty ba - by, just take me with u.

Verse 2

A   Bm/A   A**   Bm/A   A   Bm/A
Come on and touch the place in me that's calling out your name,

A   Bm/A   A**   Bm/A   A   Bm/A
We want each other   oh so much, why must we play this game?

D   E
I don't care where we go, I don't care what we do,

A   Bm/A   A** Bm/A   F#m G   E   A
I don't care pretty ba - by, just take me with u.

Bridge

    F
I don't care if we spend the night

       A   Bm/A A** Bm/A
At your man - sion,

    F   A   Bm/A A** Bm/A
I don't care if we spend the night on the town.

    Dsus4   Esus4   F#m11
All I want is 2 spend the night to - gether,

    F   G   A   Bm/A A** Bm/A
All I want is 2 spend the night in your arms.

Verse 3

    A   Bm/A   A** Bm/A A   Bm/A
2 be a - round u is so-oh right, u're sheer per - fection (thank-u).

    A   Bm/A A**   Bm/A
Drive me crazy, drive me all night,

          A   Bm/A
Just don't break up the con - nection.

    Dsus2   E
I don't care where we go, I don't care what we do,

    A   Bm/A   A** Bm/A F#m G E   A*
I don't care pretty ba - by, just take me with u.

Outro

    Dsus4   E
I don't care where we go, I don't care what we do,

    A   Bm/A   A** Bm/A F#m G E   A*
I don't care pretty ba - by, just take me with u,

       F#m G E   A*
Just take me with u,

          F#m G E   A*
Oh, won't u take me with u,

        F#m G E   A*
Honey, take me with u.

| A Bm/A A** Bm/A | A Bm/A | 2/4 Drum Fill ‖
Ooh.___

half time
| 4/4 F | Dm | G | 2/4 A* ‖

a tempo
‖: 4/4 A Bm/A A** Bm/A | A Bm/A :‖ *To fade*

Teenage Dirtbag

Words & Music by Brendan B. Brown

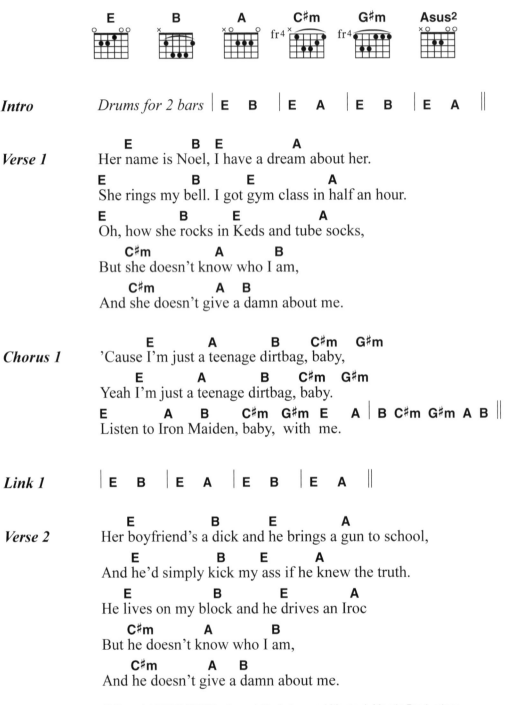

Intro

Drums for 2 bars | E   B | E   A | E   B | E   A ‖

Verse 1

     E   B E   A
Her name is Noel, I have a dream about her.
E   B   E   A
She rings my bell. I got gym class in half an hour.
E   B   E   A
Oh, how she rocks in Keds and tube socks,
   C♯m   A   B
But she doesn't know who I am,
   C♯m   A   B
And she doesn't give a damn about me.

Chorus 1

          E   A   B C♯m   G♯m
'Cause I'm just a teenage dirtbag, baby,
        E   A   B C♯m   G♯m
Yeah I'm just a teenage dirtbag, baby.
E   A   B   C♯m G♯m E   A | B C♯m G♯m A B ‖
Listen to Iron Maiden, baby, with me.

Link 1

| E   B | E   A | E   B | E   A ‖

Verse 2

     E   B   E   A
Her boyfriend's a dick and he brings a gun to school,
        E   B   E   A
And he'd simply kick my ass if he knew the truth.
        E   B   E   A
He lives on my block and he drives an Iroc
   C♯m   A   B
But he doesn't know who I am,
    C♯m   A   B
And he doesn't give a damn about me.

Chorus 2 As Chorus 1

Bridge

E Asus2　　　　E Asus2　　　　　E Asus2
　　　Oh yeah,＿＿＿＿＿ dirtbag,＿＿＿＿
　　C♯m　　G♯m　　A　　　　B
No, she doesn't know what she's missing,
E Asus2　　　　　E Asus2　　　　　E Asus2
　　　Oh yeah,＿＿＿＿＿ dirtbag,＿＿＿＿
　　C♯m　　G♯m　　A　　　　B
No, she doesn't know what she's missing.

Link 2　　| E　B　| E　A　||

Verse 3

　　　　　E　　　　B　　　E　　　　　A
Man, I feel like mould, it's prom night and I am lonely.
E　　　　B　E　　　　A
Low and behold, she's walking over to me.
E　　　　　B　　　E　　　　A
This must be fake, my lip starts to shake.
C♯m　　　　　A　　　　B
How does she know who I am?
　　　C♯m　　　　A　　B
And why does she give a damn about?

Chorus 3

　　　　　　　E　　　　A　B　　C♯m　G♯m
I've got two tickets to Iron Maiden, baby,
E　　　　　A　　　B　　C♯m　　G♯m
Come with me Friday, don't say maybe.
E　　　　A　　　B　　C♯m G♯m E　　A | B C♯m G♯m A B ||
I'm just a teenage dirtbag, baby, like　you.

Coda

E Asus2　　　　E Asus2　　　　　E Asus2
　　　Oh yeah,＿＿＿＿＿ dirtbag,＿＿＿＿
　　C♯m　　G♯m　　A　　　　B
No, she doesn't know what she's missing,
E Asus2　　　　　E Asus2　　　　　E Asus2
　　　Oh yeah,＿＿＿＿＿ dirtbag,＿＿＿＿
　　C♯m　　G♯m　　A　　　E　B　E　　A
No, she doesn't know what she's mis - sing, yeah.＿＿

| E　B　| E　　　　| A　G♯m　F♯m　| E　　　　||

Tonight The Streets Are Ours

Words & Music by Richard Hawley

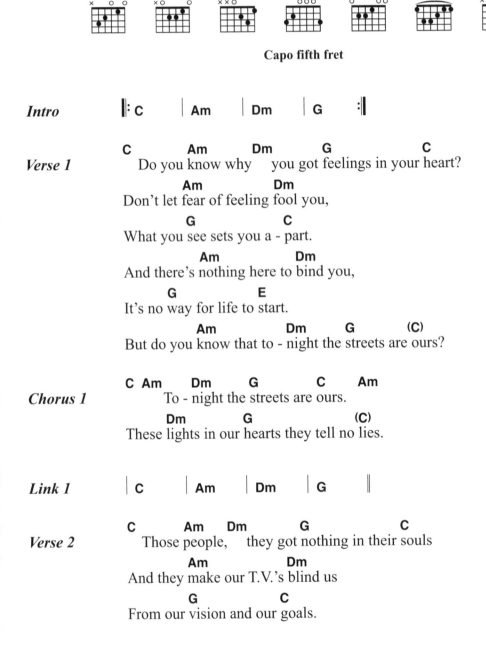

Capo fifth fret

Intro ‖: C | Am | Dm | G :‖

Verse 1

   C   Am Dm G   C
   Do you know why you got feelings in your heart?
      Am   Dm
   Don't let fear of feeling fool you,
       G   C
   What you see sets you a - part.
       Am   Dm
   And there's nothing here to bind you,
      G   E
   It's no way for life to start.
       Am   Dm G (C)
   But do you know that to - night the streets are ours?

Chorus 1

   C Am Dm   G   C   Am
   To - night the streets are ours.
      Dm   G   (C)
   These lights in our hearts they tell no lies.

Link 1 | C | Am | Dm | G ‖

Verse 2

   C   Am Dm   G   C
   Those people, they got nothing in their souls
      Am   Dm
   And they make our T.V.'s blind us
       G   C
   From our vision and our goals.

cont.

         Am   **Dm**
Oh, the trigger of time it tricks you,

      G   **E**
So you have no way to grow.

          Am   **Dm**   **G**   **(C)**
But do you know that to - night the streets are ours?

Chorus 2

C Am   **Dm**   **G**   **C**   **Am**
   To - night the streets are ours.

 Dm   **G**   **F**
These lights in our hearts they tell no lies.

Bridge

 F   **Cmaj7**
  And no one else can haunt me

            F
The way that you can haunt me,

        Cmaj7
I need to know you want me.

          F
I couldn't be with - out you

              Cmaj7
And the light that shines a - round you.

 E   **F**
No, nothing ever mattered more than not doubting

   Dm   **G**   **(C)**
That to - night the streets are ours.

Instrumental   ‖: **C** | **Am** | **Dm** | **G**   :‖

Verse 3

C   **Am**   **Dm**   **G**   **C**
  Do you know how   to kill loneliness at last?

       Am   **Dm**
Oh, there's so much there to heal dear

      G   **E**
And make tear stains of the past.

          Am   **Dm**   **G**   **(C)**
But do you know that to - night the streets are ours?

Chorus 3

C Am   **Dm**   **G**   **C**   **Am**
   To - night the streets are ours.

 Dm   **G**   **C**   **Am**
These lights in our street are ours.

Dm   **G**   **C**   **Am**
To - night the streets are ours.

   Dm   **G**   **F**   **Cmaj7**
These lights in our hearts they tell no lies.

Two Fingers

Words & Music by Jake Bugg & Iain Archer

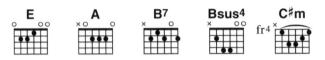

Capo first fret

Verse 1

N.C.   E
I drink to re - member, I smoke to forget,
                A
Some things to be proud of, some stuff to regret.
              B7
Run down some dark alleys in my own head,
         A
Something is changing, changing, changing.

Verse 2

(A)   E
I go back to Clifton to see my old friends,
          A
The best people I could ever have met.
    B7
Skin up a fat one, hide from the Feds,
        A
Something is changing, changing, changing.

Chorus 1

(A) E
So I kiss goodbye to every little ounce of pain,
Bsus4
Light a cigarette and wish the world away.
   A   E
I got out, I got out, I'm alive and I'm here to stay.

So I hold two fingers up to yesterday,
Bsus4
Light a cigarette and smoke it all away.
   A   E
I got out, I got out, I'm alive and I'm here to stay.

Verse 3

E
Down in the kitchen, drinking White Lightning,

A
He's with my mama, yelling and fighting.

B7
It's not the first time praying for silence,

A
Something is changing, changing, changing.

Chorus 2   As Chorus 1

Bridge

(E)   C♯m   E
There's a story for every corner of this place,

C♯m   E
Running so hard you got out but your knees got grazed.

A   B7   E
I'm an old dog but I learned some new tricks, yeah.

Chorus 3

E
So I kiss goodbye to every little ounce of pain,

Bsus4
Light a cigarette and wish the world away.

A   E
I got out, I got out, I'm alive and I'm here to stay.

So I hold two fingers up to yesterday,

Bsus4
Light a cigarette and smoke it all away.

A   E
I got out, I got out, I'm alive and I'm here to stay.

Outro

E
Hey, hey, it's fine,

Bsus4
Hey, hey, it's fine,

A
Hey, hey, it's fine,

E
I left it be - hind.

To Be With You

Words & Music by Eric Martin & David Grahame

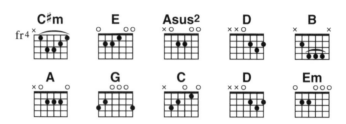

Verse 1

    C♯m   **E**
    Hold on, little girl,

Asus²   **E**
Show me what he's done to you.

C♯m   **E**
    Stand up, little girl,

   Asus²   **E**
A broken heart can't be that bad.

         Asus²   **E**
When it's through, it's through,

Asus²   **E**
Fate will twist the both of you.

     D
So come on, baby, come on over,

B
Let me be the one to show you.

Chorus 1

    E   **A**   **B**   **E**
I'm the one who wants to be with you,

            A   **B**   **E**
Deep inside I hope you'll feel it too.

         A   **B**   **E**
Waited on a line of greens and blues,

         A   **B**   **E**
Just to be the next to be with you.

Verse 2

C#m   E
Build up your confidence,

    Asus²   E
So you can be on top for once.

C#m   E
Wake up, who cares about

Asus²   E
Little boys that talk too much?

    Asus²   E
I've seen it all go down,

    Asus²   E
The game of love was all rained out.

     D
So come on, baby, come on over,

    B
Let me be the one to hold you.

Chorus 2   As Chorus 1

Bridge

Asus²   C#m
   Why be alone when we can be together, baby?

G
You can make my life worth while,

          (E)
I can make you start to smile.

Instrumental | E A | B E | E A | B E |

             | E A | B C#m | E A | B E ‖

Verse 3

(E)   Asus²   E
When it's through, it's through,

    Asus²   E
And fate will twist the both of you.

     D
So come on, baby, come on over,

    B
Let me be the one to show you.

```
G              C       D      G
I'm the one who wants to be with you,
                 C        D     G
Deep inside I hope you'll feel it too.
              C     D        Em
Waited on a line of greens and blues,
G           C      D       G
Just to be the next to be with you.
```

Chorus 4

```
E              A       B      E
I'm the one who wants to be with you,
                 A        B     E
Deep inside I hope you'll feel it too.
              A     B        C♯m
Waited on a line of greens and blues,
E           A      B       E
Just to be the next to be with you.
              A     B       E
Just to be the next to be with you.
```

Video Games

Words & Music by Elizabeth Grant & Justin Parker

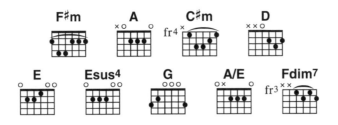

Intro

| F#m A | F#m A | C#m D | D |

| F#m A | F#m A | C#m D | F#m ‖

Verse 1

F#m   A   F#m   A   C#m   D
Swinging in the backyard, pull up in your fast car whistling my name.

F#m   A   F#m   A   C#m D   F#m
Open up a beer and you say, "Get over here and play a video game."_____

    F#m   A
I'm in his favorite sun dress,

F#m   A   C#m   D
Watching me get undressed, take that body downtown.

F#m   A
I say, "You the bestest."

F#m   A   C#m   D   F#m
Lean in for a big kiss, put his favourite perfume on.

      C#m D
Go play a video game.

Chorus 1

    E
It's you, it's you, it's all for you,
Esus⁴   **D**
Everything I do, I tell you all the time,
                      A
Heaven is a place on earth where you
              G   **F♯m**
Tell me all the things you want to do.
           A/E
I heard that you like the bad girls,
D
Honey, is that true?
              A
It's better than I ever even knew,
           G   **F♯m**
They say that the world was built for two.
       A/E   **D**   **Fdim⁷**
Only worth living if some - body is loving you.
          (F♯m)
And baby, now you do.

Link

| F♯m A | F♯m A | C♯m D | D   ‖

Verse 2

F♯m   **A**   **F♯m**   **A**   **C♯m**   **D**
Singing in the old bars, swinging with the old stars, living for the fame.
F♯m   **A**   **F♯m**   **A**   **C♯m** **D**   **F♯m**
Kissing in the blue dark, playing pool and wild darts, video games.
                A
He holds me in his big arms,
F♯m   **A**   **C♯m**   **D**
Drunk and I am seeing stars, this is all I think of.
F♯m   **A**   **F♯m**   **A**
Watching all our friends fall in and out of Old Paul's,
C♯m   **D**   **F♯m**
This is my idea of fun.
        C♯m **D**
Playing video games.

Chorus 2

      E
It's you, it's you, it's all for you,
Esus⁴   **D**
Everything I do, I tell you all the time,
                               A
Heaven is a place on earth where you
                    G   **F♯m**
Tell me all the things you want to do.
                 A/E
I heard that you like the bad girls,
D
Honey, is that true?
                        A
It's better than I ever even knew,
                    G   **F♯m**
They say that the world was built for two.
             A/E   **D**   **Fdim⁷**
Only worth living if some - body is loving you.
            (F♯m)
And baby, now you do.

Bridge 1

F♯m   **A**   **F♯m A**   **C♯m D**
  Now, now you do, now you do, now you do.
F♯m   **A**   **F♯m A**   **C♯m D**   **F♯m**
  Now, now you do, now you do, now you do.

Chorus 3   As Chorus 1

Bridge 2

F♯m   **A**   **F♯m A**   **C♯m D**
  Now, now you do, now you do, now you do.
        F♯m
Now you do.
    A   **F♯m A**   **C♯m D**   **F♯m**
Now, now you do, now you do, now you do.

Outro

| **F♯m** **A** | **F♯m** **A** | **C♯m** **D** | **D** |

| **F♯m** **A** | **F♯m** **A** | **C♯m** **D** | **F♯m** ‖

Wuthering Heights

Words & Music by Kate Bush

Capo first fret

Intro
| (A♭) | (A♭) | (A♭) | (A♭) ‖

Verse 1

A♭   E   E♭   C
Out on the wiley, windy moors we'd roll and fall in green.

A♭   E   E♭
You had a temper   like my jealousy:

             C
Too hot, too greedy.

A♭   E   E♭   C
   How could you leave me   when I needed to   possess you?

               G
I hated you, I loved you too.

Pre-chorus 1

Dm   Dm7   E7sus4
   Bad dreams in the night:

Dm   Dm7   E7sus4
   They told me I was going to lose the fight,

Dm   Dm7   E7sus4
   Leave behind my wuthering, wuthering, Wuthering Heights.

Chorus 1

            F   Dm   G
‖: Heathcliff,   it's me, I'm Cathy,

            C   F
I've come home, I'm so cold, _____

         G   C   F
Let me in at your window.   :‖

Link
| A♭ ‖

Verse 2

A♭   E   E♭   C
Ooh, it gets dark,   it gets lonely,   on the other side from you.

A♭   E   E♭   C
   I pine a lot,   I find the lot   falls through without you.

A♭   E
   I'm coming back, love,

           E♭   C   G
Cruel Heathcliff: my one dream,   my only master.

Pre-chorus 2

Dm   Dm7   E7sus4
   Too long I roam in the night;

Dm   Dm7   E7sus4
   I'm coming back to his side to put it right;

Dm   Dm7   E7sus4
   I'm coming home wuthering, wuthering, Wuthering Heights.

Chorus 2

         F   Dm   G
‖: Heathcliff,   it's me, I'm Cathy,

           C   F
I've come home, I'm so cold,

       G   C   F
Let me in at your window.   :‖

Bridge

Am   G
Ooh! Let me have it,

       F   Dm   C
Let me grab your soul away.

Am   G
Ooh! Let me have it,

       F   Dm   C
Let me grab your soul away.

Am   A9   F   Am
You know it's me, Cathy.

Chorus 3

         F   Dm   G
‖: Heathcliff,   it's me, I'm Cathy,

           C   F
I've come home, I'm so cold,

       G   C   F
Let me in at your window.   :‖

         F   Dm   G
Heathcliff,   it's me, I'm Cathy,

           C   F   G   C F
I've come home, I'm so cold. ____

Coda/
Guitar solo

‖: F   Dm | G | C | F | F   G | C | F   :‖

                                 Repeat ad lib. to fade

You've Got A Friend

Words & Music by Carole King

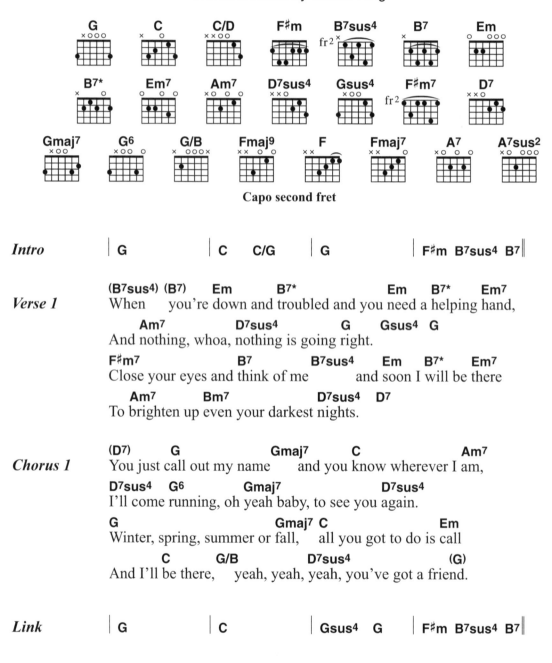

Capo second fret

Intro | G | C   C/G | G | F#m B7sus4 B7 ||

Verse 1

(B7sus4) (B7)   Em   B7*   Em   B7*   Em7
When   you're down and troubled and you need a helping hand,
        Am7   D7sus4   G   Gsus4 G
And nothing, whoa, nothing is going right.
F#m7   B7   B7sus4   Em   B7*   Em7
Close your eyes and think of me   and soon I will be there
        Am7   Bm7   D7sus4   D7
To brighten up even your darkest nights.

Chorus 1

(D7)   G   Gmaj7   C   Am7
You just call out my name   and you know wherever I am,
D7sus4 G6   Gmaj7   D7sus4
I'll come running, oh yeah baby, to see you again.
G   Gmaj7 C   Em
Winter, spring, summer or fall,   all you got to do is call
            C   G/B   D7sus4   (G)
And I'll be there,   yeah, yeah, yeah, you've got a friend.

Link | G | C | Gsus4 G | F#m B7sus4 B7 ||

Verse 2

(B⁷sus⁴) (B⁷) **Em**   **B⁷***   **Em**   **B⁷***   **Em⁷**
       If the sky a - bove you should turn dark and full of clouds

     Am⁷   **D⁷sus⁴**   **G**   **Gsus⁴** **G**
And that old north wind should begin to blow,

F♯m⁷   **B⁷**   **B⁷sus⁴** **Em**   **B⁷***   **Em⁷**
Keep your head to - gether   and call my name out loud.

Am⁷   **Bm⁷**   **D⁷sus⁴** **D⁷**
  Soon I will be knocking upon your door.

Chorus 2

(**D⁷**)   **Gmaj⁷**   **C**   **Am⁷**
You just call out my name and you know where ever I am,

D⁷sus⁴ **G**   **D⁷sus⁴**
I'll come running, oh yes I will, to see you again.

G   **Gmaj⁷** **C**   **Em**
Winter, spring, summer or fall,   all you have to do is call

       C   **G/B**   **D⁷sus⁴**
And I'll be there, yeah, yeah, yeah.

Bridge

    Fmaj⁹   **F**   **C**
Hey, ain't it good to know that you've got a friend

     G   **Gsus⁴** **Gmaj⁷**
When people can be so cold?

     C   **Fmaj⁷**
They'll hurt you and de - sert you.

     Em⁷   **A⁷**   **A⁷sus²**
Well, they'll take your soul if you let them,

 A⁷   **D⁷sus⁴**   **D⁷**
Oh   yeah, but don't you let them.

Chorus 3

(**D⁷**) **G**   **C**   **Am⁷**
You just call out my name and you know where ever I am,

D⁷sus⁴   **G**   **D⁷sus⁴**
  I'll come running to see you a - gain.

                      G   **Gmaj⁷**
Oh, babe, don't you know 'bout winter, spring, summer or fall,

     C   **Em**   **C**   **G/B**
Hey now, all you've got to do is call, Lord, I'll be there, yes I will,

D⁷sus⁴   **G** **C**
  You've got a friend.

        G   **C**
You've got a friend, yeah.

            G
Ain't it good to know you've got a friend.

   C   **G**
Ain't it good to know you've got a friend.

  C   **Gsus⁴** **G**
Oh, yeah, yeah, you've got a friend.

You've Got Her In Your Pocket

Words & Music by Jack White

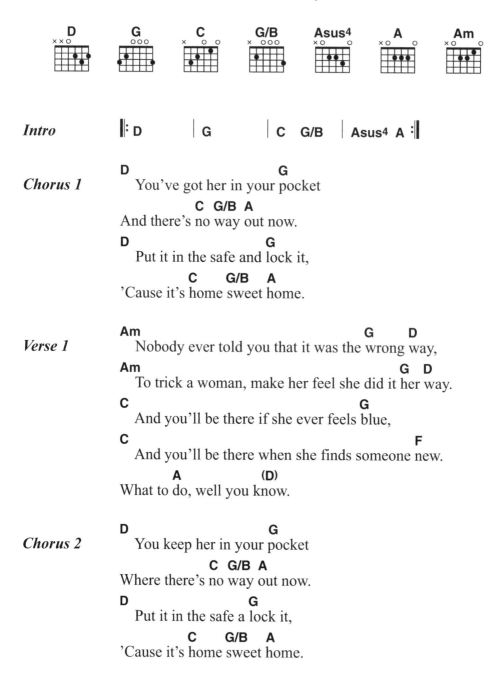

Intro   ‖: D | G | C G/B | Asus4 A :‖

Chorus 1

D   G
You've got her in your pocket
                  C G/B A
And there's no way out now.
D   G
Put it in the safe and lock it,
                C   G/B   A
'Cause it's home sweet home.

Verse 1

Am   G   D
Nobody ever told you that it was the wrong way,
Am   G D
To trick a woman, make her feel she did it her way.
C   G
And you'll be there if she ever feels blue,
C   F
And you'll be there when she finds someone new.
            A   (D)
What to do, well you know.

Chorus 2

D   G
You keep her in your pocket
                  C G/B A
Where there's no way out now.
D   G
Put it in the safe a lock it,
                C   G/B   A
'Cause it's home sweet home.

Link 1 | A | A | Am | Am   ‖

Verse 2
Am   G   D
    The smile on your face made her think she had the right one,
Am   G   D
    Then she thought she was sure by the way you two could have fun.
C   G
    But now she might leave like she's threatened be - fore,
C   F
    Grab hold of her fast before her feet leave the floor.
              A   (D)
And she's out the door 'cause you want

Chorus 3
D   G
    To keep you in my pocket
          C G/B A
Where there's no way out now.
D   G
    Put it in the safe a lock it,
       C   G/B   A
'Cause it's home sweet home.

Link 2 | A | A | Am | Am   ‖

Verse 3
Am   G   D
    And in your own mind you know you're lucky just to know her,
Am   G   D
    And in the beginning all you wanted was to show her.
C   G
    But now you're scared you think she's running a - way,
C   F
    You search in your hand for something clever to say.
          A   (D)
Don't go a - way 'cause I want

Chorus 4
D   G
    To keep you in my pocket
          C G/B A
Where there's no way out now.
D   G
    Put it in the safe a lock it,
       C   G/B   A
'Cause it's home sweet home,
C   G/B   A
Home sweet home.

Where Did All The Love Go

Words & Music by Sergio Pizzorno

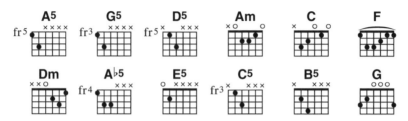

A5   G5   D5   Am   C   F
Dm   Ab5   E5   C5   B5   G

To match original recording tune guitar down a semitone

Intro   ‖: A5 | A5 | A5 | A5 :‖

Verse 1
A5
Never took a punch in the ribcage, sonny,

Never met a soul who had no shrine.
G5   D5   A5
Keep this all in your mind and get inside my window.

What do we become trying to kill each other?

You're faking it son, gonna get you tonight.
G5   D5   A5
I suck another breath to the hearts of the revo - lution,

Because you still ain't right.

Chorus 1
Am   C   Am
Where did all the love go?
C F   Dm F   Ab5
I don't know, I   don't know. (I bet you can't see it)
Am   C   Am
Where did all the love go?
C F   Dm F   Ab5
I don't know, I   don't know. (I bet you can't see it)

Link 1 | Am E5 | Am E5 | Am E5 | C5 B5 ‖

Verse 2

A5
Gotta see the signs of a real change a coming,

Take another sip from your hobo's wine.
    G5   D5   A5
And get yourself a million miles from the concrete jungle.

This is a time full of fear, full of anger,

A hero's exchange for a telephone line.
G5   D5   A5
Whatever happened to the youth of this gene - ration?

Because it still ain't right.

Chorus 2

Am   C   Am
Where did all the love go?
C F   Dm F   A♭5
I don't know, I don't know. (I bet you can't see it)
Am   C   Am
Where did all the love go?
        C   F   Dm F   A♭5
Now, I don't know why, oh   why.

Bridge 1

      Am   G   F   Dm
The rivers of the pavement are flowing now with blood.
      Am   G   F   Dm
The children of the future are drowning in the flood.

Chorus 3

Am   C   Am
Where did all the love go?
        C   F   Dm F   A♭5
Now, I don't know why, oh   why.

| *Link 2* | N.C. | N.C. | N.C. | N.C. | ‖ |

| *Interlude* | ‖: N.C. | N.C. | N.C. | N.C. | :‖ |
| | ‖: A5 | A5 | A5 | C5 B5 D5 :‖ |

| *Link 3* | A5 | C5 | E5 | A5 | |
| | A5 | A5 | ‖ |

Bridge 2

Am   G   F   Dm
In this social chaos there's violence in the air.
      Am   G   F   Dm
Gotta keep your wits a - bout you, be careful not to stare.

Chorus 4

Am   C   Am
Where did all the love go?
C F   Dm F   A♭5
I   don't know, I   don't know. (I bet you can't see it)
Am   C   Am
Where did all the love go?
       C   F   Dm F   A♭5
Now, I don't know why, oh   why. (I bet you can't see it)